Despertar inspirado

Clóvis de Barros Filho e
Monja Coen Roshi

Despertar inspirado
1ª edição: Janeiro 2021

Autores:
Clóvis de Barros Filho
Monja Coen Roshi

Preparação de texto:
Magno Paganelli

Revisão:
3GB Consulting

Capa:
Alice Nascimento

Diagramação:
Dharana Rivas

DADOS INTERNACIONAIS DE CATALOGAÇÃO NA PUBLICAÇÃO (CIP)

Barros Filho, Clóvis de
Despertar inspirado / Clóvis de Barros Filho e Monja Coen Roshi. -- Porto Alegre : CDG, 2021.
176 p.

ISBN: 978-65-87885-07-0

1. Reflexões 2. Crônicas 3. Mensagens I. Título II. Coen, Monja

20-4403 CDD 808.88

Angélica Ilacqua - Bibliotecária - CRB-8/7057

Produção editorial e distribuição:

CITADEL Grupo Editorial

contato@citadel.com.br
www.citadel.com.br

Despertar inspirado

Clóvis de Barros Filho e
Monja Coen Roshi

CITADEL
Grupo Editorial

Sumário

Introdução

Este livro é resultado da iniciativa de dois amigos.

Nos primeiros dias de abril de 2020, momento em que o mundo mergulhava na reclusão, decidi usar a rede de computadores para comunicar – a quem quisesse ver e ouvir – o que me passava pela cabeça em cada amanhecer.

Conatus. Esforço para perseverar no próprio ser. Alma aguerrida lutando para afastar o que apequena. E, positivamente, elucubrar o que potencializa. Sempre às seis da manhã. Imediatamente após a sexta badalada do sino do mosteiro. Foram quarenta episódios. Simbólicos de uma quarentena de resistência. De segunda a sexta-feira.

Logo nos primeiros dias, Monja Coen Roshi, minha amiga, disse que estava acompanhando desde o primeiro vídeo. E gostando muito. Pedi, então, que os comentasse.

Marcial, o editor, antevendo este livro, dispôs-se a transcrever os despertares, acrescentar comentários e editá-los.

Pelo número de páginas, ficamos com os primeiros quinze, após muitos ajustes de estilo e outras histórias que nos ocorreram depois.

Houve enriquecimento substancial face à versão verbalizada.

Eis o que Monja e eu lhes propomos como leitura. *Despertar Inspirado*. Acreditando sempre que o pensamento sobre a vida é sua maior fortaleza.

Que seja amena, prazerosa e alegre esta leitura.

Beijos,
Clóvis de Barros Filho

Primeiro dia

Estudar

CLÓVIS

Acaba de soar a sexta badalada no Mosteiro de São Bento. São seis horas da manhã. Que tenhamos todos um despertar inspirado.

Um grande sábio japonês viveu no século 13. Isso corresponde a mil duzentos "e bolinha", você sabe. Seu nome era Nitiren. Ele falava sobre os estados de espírito no cotidiano. Sobre nossas experiências do dia a dia. Uma delas me chamou muito a atenção: o estudo.

No estudo nos debruçamos sobre discursos que não são nossos. Porque outras pessoas resolveram registrar o que de melhor passou por suas cabeças. E graças a essa iniciativa, compartilhamos seus pensamentos.

O estudo nunca se reduz a mera apropriação do que é estudado, seja porque nosso repertório não dispõe de ganchos para atribuir-lhe qualquer sentido, passando longe de nossa compreensão. Seja porque – na abordagem desse novo discurso pelo nosso repertório – nos surgem conjecturas, hipóteses, discordâncias, convicções.

E tudo isso vai muito além. Tanto do que estamos estudando quanto do que conhecíamos antes de estudar.

* * *

Dessa forma, todo estudo pode, sim, se converter em conhecimento. Para isso, será preciso pôr o novo e o velho para conversar. O "já conhecido" com o "a conhecer". O repertório mobilizado para o estudo e o discurso estudado. É preciso, em suma, dialogar com o que estudamos.

Primeiro, dispor-se a ouvir o que disseram os outros. Com a guarda baixa. E, só então, começar a pensar a respeito.

Por meio da lógica, comparando com o que já supostamente sabemos, discriminando, aproximando, igualando, identificando, opondo, somos capazes de elaborar nosso próprio conhecimento. Sempre fragmentado. Sempre provisório. Sempre lacunar.

Conhecimento que é nosso – já que todos gostamos de alguma posse. Mas que é mais bem entendido como um fluxo.

Um fluxo discursivo. Que circula por uma rede, construída na intersubjetividade.

Nessa rede, figuramos tanto como estudantes enunciatários, isto é, leitores, ouvintes, assistente, quanto como estudantes enunciadores – quando passarmos adiante o que foi estudado com a chancela inconfundível da nossa própria digestão.

* * *

Todo estudo tem gênese e condição de possibilidade na disposição de outras pessoas de permitir – por intermédio da comunicação de seus conhecimentos – o acesso sistemático de estudantes ou estudiosos. São observações, pesquisas, formulações zelosamente convertidas em enunciado – formalmente controlado – para recepção de interessados.

Só assim podemos avançar a partir daquele ponto. Produzir conhecimento, sem precisar recomeçar do zero. O estudo nos permite ver mais longe, porque nos coloca em ombros de gigantes.

Os químicos enunciaram discursos. E deixaram seu legado. Lavoisier, pai da química moderna, disse que nada se cria – tipo do nada –, logo, tudo se transforma. Eu me lembro de ter anotado essa afirmação no caderno. Aos doze anos.

Quando cheguei em casa e fui estudar, nossa, que sensação indescritível. Que desbunde. Uma coisa aparentemente tão simples. E, por isso mesmo, tão impactante. Ao todo, nada se acrescenta.

– Daqui, nada entra, nada sai – grita o policial que chega no momento do assalto. Imagens correlatas que brotavam na minha mente.

Por meio do estudo também aprendemos sobre o movimento dos corpos, graças ao discurso dos físicos. Aos quais temos acesso nos livros, nas aulas, por meio dos nossos mestres, professores e vídeos, comuns hoje em dia. Reunidos sob a nomenclatura de cinemática.

Para um grego, como Aristóteles, o movimento se deve a uma "busca" do lugar mais adequado ou natural. Por isso a pedra em queda livre rumaria para o solo e a fumaça ganharia os céus. Seus destinos corresponderiam aos seus "lugares certos". Que, se ocupados, lhes assegurariam mais fácil integração no Universo.

Muito mais tarde, novas explicações surgem para esses mesmos movimentos. Como a gravidade e suas atrações.

* * *

Portanto, o estudo é uma experiência maravilhosa: alegradora e bela.

Porque somos curiosos! Seria bonito dizer, curiosos por natureza. Uma natureza humana marcada pela curiosidade. Um traço da essência humana. Que lhe seria essencial, portanto. Mas não sei, não. Afinal, se assim fosse, teria que ser todo mundo, o tempo todo, do nascimento à cova, em qualquer situação etc. Realmente não sei.

Mas que a curiosidade torna o estudo mais agradável, disso não tenho dúvidas.

Graças ao estudo, integramos uma extensa e complexa comunidade de pessoas que, como nós, resolveram discursar para compartilhar seus conhecimentos. Fruto de seus estudos, observações e experiências. Não guardaram para si. Tampouco só para os seus. Pelo contrário. Publicaram. Disponibilizaram para qualquer um. Sobretudo nos dias que correm. Com as informações atravessando o planeta no intervalo de um clique.

* * *

Visitei, há muito tempo, o antigo Instituto Pavlov. Lá, em uma sala modesta e também fria, fui apresentado a um homem muito magro, desleixado no vestir, e com cabelos despenteados.

Era um cientista famoso. Pacientemente, ele me explicou a natureza das experiências que vinha realizando, havia longos anos, à custa de centenas de horas estudo. Pretendia obter informações mais precisas sobre certo tipo de câncer.

Contou-me com ternura a vida dos ratinhos amedrontados que eu via dentro de um pequeno labirinto de plástico. Detalhou-me suas idas e vindas dedutivas e indutivas. Suas hipóteses, pistas, equívocos e surpresas. Fez-me, enfim, um relatório daquilo que constituía sua própria existência. Depois calou-se.

Nesse ponto me ocorreu de perguntar a que conclusão chegara. O homem magro sorriu seu riso de criança decepcionada e respondeu:

– Ainda não cheguei a nenhuma conclusão. Não há nada que me diga que possa ter contribuído para a cura do seu câncer.

Quando cheguei lá fora, num silêncio agravado pela neve e pelo grito estrídulo das gralhas no alto dos abetos, compreendi que não poderia esquecer aquele sorriso.

Não faço nada de bom a ninguém. E certamente faço mal a algumas pessoas. Mas o sorriso do cientista, ao revelar-me sua frustração ao longo de tantos anos de estudo, não me deixa esquecer que existe ainda gente como o doutor, que se faz anônimo e pobre por amor.

Quando estudamos, fazemos parte da humanidade. Tornamo-nos, assim, mais humanos. Eis a dimensão da responsabilidade que é a nossa. De compartilhar o que pensamos de mais rigoroso e próximo da verdade. Para que outras pessoas, algum dia, também possam estudar. Graças a nós.

MONJA

Nichiren Daishonin (1222-1282) foi o fundador de uma ordem budista japonesa, que levou seu nome. Nichiren praticou, isto é, frequentou o mesmo mosteiro que o fundador da minha ordem, o mestre Dogen (1200-1253).

Aquele mosteiro era como se fosse uma grande escola budista onde várias práticas e estudos foram desenvolvidos. Mais tarde, foi chamado de Montanha Mãe, pois vários líderes, de diversas ordens religiosas, estudaram ali. Salas escuras, com lamparinas a óleo ainda existem. Visitei algumas vezes. Era nessas salas que os monges liam, estudavam e copiavam as escrituras.

A sua prática procurava um sentido profundo, secreto. Alguns se iluminaram, entenderam. Tornaram-se professores, fundaram escolas de pensamento que continuam vigentes.

Nichiren e Dogen, ambos consideravam que o Sutra da Flor de Lótus da Lei Maravilhosa fosse o ensinamento superior de Buda. *Myo Ho Ren Gue Kyo*, em japonês. Seria um ensinamento tão precioso, segundo Nichiren, que aqueles incapazes de ler e entender poderiam apenas invocar o nome do sutra para acessar um estado de bem com a vida. Na verdade, Nichiren torna o Sutra de Lótus a principal escritura a ser estudada e invocada por seus seguidores.

Ler, recitar, decorar os textos só terá sentido se entendermos o seu significado e formos capazes de pô-lo em prática em nossas vidas.

Por isso, no Zen, dizemos que receber é transmitir e transmitir é despertar. Ou seja, quem entende deve passar adiante o ensinamento. Ensinar é estar desperto. Ir além das escrituras, pois estas são como um dedo apontando para a Lua.

Segundo dia

Sentido

CLÓVIS

Tenha um ótimo dia. São seis horas. E a vida de hoje já começou.

Darío Sztajnszrajber. Se você não ouviu com clareza o sobrenome, acredite, fiz o que pude. São onze consoantes para três vogais.

Trata-se de um imenso pensador argentino. O mais brilhante da atualidade. Começa uma de suas falas mais ou menos assim – eu vou me servir da memória o quanto puder e improvisar o resto.

– Gente! Quem é toda essa gente? Para onde estão indo? De onde estão vindo? Por que estamos todos aqui e agora neste ônibus? Podia ser tudo diferente, mas não é. Será que não? E por que é assim? Por que está sendo assim? Por que existem ônibus, assentos, campainhas, cartazes, homens? Por que somos assim? O que vem a ser tudo isso? O que acontecerá depois? Tem mais coisa? Por que há por aqui tudo isso, quando poderia bem não haver nada? Podia também não ter havido nada. Será a mesma coisa haver e ser? O que é o nada? Pode ocorrer o nada? E como? Sobe e desce gente desse ônibus. Todos em silêncio. Em que estarão pensando? Como será que funciona na cabeça de cada um o pensamento? Será que pensamos todos do mesmo jeito? Haverá algum jeito de saber? A senhora tem cara de preocupada. Carrega um envelope. Serão exames médicos? Estará doente? Estará à beira da morte? Você disse morte? Morrer. O nada. O que era mesmo esse nada? E a morte? Pode alguém à beira da morte andar de ônibus? O que tem a ver? O que é ter a ver? O que significa significado? O que faria eu se soubesse que me restam poucos dias de vida? Faria? Fazer é o quê, exatamente? Faria alguma coisa? O que é alguma coisa? De quantos dias estamos falando? Não quero pensar nisso. Pensar? Não pensar? É possível deixar de pensar? Não pensar no que não se quer pensar? Tenho vontade de abraçar a tal senhora. A que vai morrer. Parece tão tensa. Tão preocupada. E se eu estiver equivocado? E se os exames estiverem ótimos? E se ela estiver superfeliz porque hoje mesmo verá seus netos? E se tudo fosse o contrário do que parece? Será que posso me equivocar tanto assim?

Darío me perdoará. Acho que extrapolei. Fui além. Mas fiquei na mesma linha de pensamento. Dentro do escopo.

Como assim? Extrapolei em relação a quê? Além do quê? Até onde vai o além? Como assim, na mesma linha? Que linha? Aquela reta que liga dois pontos pelo caminho mais curto? E para que ligar os tais dois pontos? Aliás, de onde surgiram esses pontos? Como posso saber a linha em que estava pensando? E o pensamento? É alguém que pensa? Ou ao contrário? Tipo algo pensante que pensa o alguém? Contrário? Como chama o contrário do contrário? Qual nasceu primeiro? Escopo? O que ele pretendia? Como posso saber o escopo que era o seu? Ele mesmo sabe qual é a sua linha ou o seu escopo? Terá alguma linha ou escopo definido?

Não. Darío não me perdoará!

Como assim? Ele, Darío? Quem é? Perdoará? Perdão? Do que se trata?

Quer parar?

Como assim? Parar? O que é parar? Será possível parar?

Não, não. Não desligue. Já parei. Tá tudo certo. Não sei o que me deu. Vamos começar de novo. De um jeito mais, digamos, convencional.

* * *

A filosofia não é um conjunto de saberes. Muito menos de tratados.

É uma atividade. Da alma. Da mente. Mas não qualquer. Porque nem todo pensamento é filosófico. Quer pelo seu objeto. Sobre o que estamos pensando. Há realidades que ficam fora do seu ***corpus***. Quer pelo método. Como estamos pensando. Filosofar não é pensar "de qualquer jeito".

Russell ensina que o filósofo nunca teve a pretensão de trazer resposta a tudo. Mas tem o mérito de formular perguntas que potencializam o pensamento. Que o diga o *hermano* Darío. Além de proporcionar maior espanto e encantamento ante as coisas do mundo. Denunciam a maravilha escondida logo abaixo da superfície. Mesmo nas coisas mais banais.

A atividade filosófica se objetiva em discursos. Enunciados, publicados, discutidos ou não. E, para Epicuro, tem a verdade como método e a felicidade como fim. Não se trata, portanto, de ser feliz a qualquer preço. A verdade é a sua condição. É o caminho. É por intermédio dela que essa felicidade, propriamente filosófica, poderá ser alcançada. Se tiver que escolher entre a verdade e a felicidade, a filosofia – em homenagem a Sócrates e a todos os seus fiéis herdeiros – dará primazia à primeira.

* * *

A filosofia, em algum tempo antigo, reunia quase todo o conhecimento disponível. Assim, a matemática era discutida no âmbito da filosofia, tanto quanto a física, química, biologia e psicologia. O entendimento do todo – ou do mundo – nesses tempos era, com certeza, muito diferente do atual:

fragmentado, compartimentado. Os filósofos também eram matemáticos, físicos, químicos, biólogos e psicólogos. Porque simplesmente não havia essa distinção.

Ao longo dos séculos, essas diferentes áreas do conhecimento foram se desgarrando da nave-mãe. Os que se dedicavam mais à matemática foram se agrupando, criando espaços próprios de interação, com convergência de interesses e busca de reconhecimento específico daquele grupo. Reivindicavam alguma exclusividade sobre aquele pedaço de conhecimento. Com os físicos, químicos, biólogos e, mais recentemente, psicólogos, também aconteceu assim.

Dessa forma, os que continuavam filósofos foram vendo secar o oceano imenso de que dispunham para navegar.

O que lhes terá sobrado – para pensar com relativa exclusividade – depois de tantos séculos?

Bem, para reduzir bastante e falar simples, cabe ainda aos filósofos uma reflexão sobre os limites da razão humana, da possibilidade de conhecimento e afins.

Além disso, a investigação sobre o que é justo, certo e errado em nossa prática cotidiana. As discussões morais e seus dilemas, tão relevantes para a nossa vida.

E, finalmente, ainda é própria da filosofia uma reflexão profunda sobre os princípios da beleza, da arte. Aquilo que chamamos simplesmente de *belo*. Tema de enorme interesse para todos nós, não acham? O que, afinal de contas, o mundo, as paisagens, os corpos, as pessoas devem ser e devem ter para que sejam belos?

Eis aí, grosso modo, o que restou de propriamente filosófico. Por enquanto, claro. Não é difícil prever novas defecções. Afinal, novos campos de conhecimento correspondem a novos tronos, novos dominantes, novas estrelas do pensamento, novos espaços de poder e tanta coisa mais que fazem a alegria de quem está desgostoso onde está.

Voltemos ao que sobrou. É pouco? Em relação ao que era, certamente. É muito? Em relação à complexidade das preocupações, nem se fala. O certo parece ser que os limites do conhecimento, os limites morais da ação humana e as condições do belo permanecem as três grandes preocupações filosóficas.

* * *

Mas a filosofia também faz reflexões sobre a vida. Nisso ela carrega certa espiritualidade. Procura-lhe um sentido. Algum sentido. Ou, quem sabe, denunciar a falta de um.

Sentido é direção. Tipo "para ir a Santos, vire à direita e siga em frente". Mas é também significado. Como "querer dizer". Uma coisa que significa outra, "corresponde a", ou "está no lugar de". Como "augurar", fazer votos para que algo aconteça.

Falar em "sentido da vida" é propor-lhe uma direção ou um significado. Quem sabe, ambos. É se perguntar para onde a vida vai e o que ela quer dizer. Você pode imaginar o tamanho do desafio. A envergadura do enrosco.

Para onde ela vai, bem, livramo-nos do problema com facilidade porque sabemos todos que ela vai acabar. O seu destino último é indiscutível. Mas não sei se isso lhe satisfaz. Talvez devêssemos pensar a respeito de por onde ela passa. Ou deveria passar. Os propósitos de percurso. Enquanto vida houver.

O grande problema a respeito do seu fim é o temor. O medo da morte. Este, sim, é contemporâneo da vida. E pode arruiná-la. Por isso, muita tinta foi gasta tentando denunciar o seu descabimento. Como dizia o velho Clóvis de Barros, "não há do que ter medo".

Alguns, como Sêneca, chegaram a sugerir que nenhum encontro com a morte está previsto. Ou sequer é possível. Enquanto estivermos, ela não estará. Quando ela estiver, já não estaremos mais. Ninguém deveria temer o que não pode encontrar.

Vocês que acordaram tão cedo para me ouvir poderão objetar:

– Como pode a vida ser boa se cada um de nós tem certeza de que um dia ela irá acabar?

A vida é como uma ampulheta com gargalo grosso, pelo qual a areia escorre rápido demais. Vai se tornando progressivamente escassa. E rara. Não somente a própria. Mas também a daqueles que amamos. Por isso me junto a você no desabafo indignado. Como poderá ser boa se temos a certeza da morte dos nossos filhos? Dos nossos pais? E de todos os outros que amamos também?

Essas perguntas – e muitas outras sobre o tema – são obviamente pertinentes. Porém, olhar pelo outro lado também é possível.

* * *

Pouco entendo da vida. E muito menos da morte. Mas posso falar de um amigo especial. Caio Augusto, seu nome. A criatura mais cheia de vida entre todas que conheci. Faço a afirmativa depois de demorado exame de reflexão.

Meus amigos e conhecidos podem sentir vibrações intensas de alegria, mas meus amigos e conhecidos estão corroídos pela morte. O mundo todo está corroído pela morte. Por isso, quando as pessoas morrem, dizemos com uma sinceridade alarmante: quem morre descansa...

Você também teria gostado dele. Foi por desencontro eventual que não se tornou seu amigo. Ele teria trazido para o seu dia a dia da intimidade não o júbilo esfuziante, mas um vasto sorriso espontâneo e sem muito motivo.

Um sorriso que significa, creio eu:

– Acabaram de inaugurar a vida. O sol faz luz. O mar é abundante e cheio de peixes. Há montanhas e bichos. Os homens falam. À noite aparecem estrelas. E, de madrugada, costuma soprar um vento mais frio.

Caio Augusto distribuía – a quem estivesse passando – a alegria do que existe, dos sentidos, da memória, dos feitos do homem. A espontaneidade era sua força.

Gostava muito de comer. Mas só os muito distraídos não viam que seu apetite era por amor. E todos os objetos cabiam nele.

Caio ensinava a sorrir para o que existia. A cada momento.

Adorava história, nomes, datas, locais, eventos. Napoleão era seu ídolo. Passava horas ouvindo Bach. E mal conseguia falar quando alguém se lembrava de Villa-Lobos. Sua adesão ao natural era, afinal, o que faltava em todos nós.

Uma vez atravessávamos o Sena pela ponte do Bd. St Michel. Fim de tarde em tela irretocável. Últimos raios de uma primavera doida pra ficar. A Notre Dame se equilibrava na ilha à nossa esquerda.

Um barco cheio de turistas passou por baixo de nós. Caio fez um gesto com o braço. Acenou um aceno genuíno. De quem queria mesmo saudar. Todos na embarcação responderam parecido. Era aniversário de morte de sua mãe.

Sorrindo, virou-se para mim e falou:

– Uma das coisas que eu acho mais bonitas no mundo é gente dizendo adeus...

* * *

Todos os valores da vida, eu insisto, todos, advêm dessa mesma finitude. Dito de outra forma, a vida vale justamente porque vai acabar. Invertendo agora. Se fosse eterna, nada do que consideramos mais precioso teria algum valor.

Essa foi pesada. Eu sei. Em nome do nosso despertar inspirado. Se fosse para ouvir amenidades óbvias, você bem que podia ter dormido mais um tiquinho.

Vamos juntos. Valores ao acaso. Você pode me ajudar.

O empenho pelo êxito de um projeto. Este só se justifica pela sua temporalidade. Pelo fracasso possível. Todo sucesso é sempre definido em função de um prazo. Numa hipotética vida eterna, não haveria problema levar 474 anos para entrar na faculdade. Ou 4.740. Dá tudo na mesma. Na eternidade não há temporalidade.

Valor de estar a serviço de. De cuidar. Veja só. No caso do amor. Este só é o que é porque sabemos que o amado morrerá. A qualquer momento. Só por isso zelamos pelo outro. Por causa da sua fragilidade, do seu perecimento. Da finitude.

Cuidado consigo mesmo. Cuidamos de nós mesmos porque sabemos que pode dar ruim. Que vai dar ruim um dia.

Protegemos o planeta porque intuímos o seu fim. Bem como a extinção das suas espécies viventes.

A filosofia, desse modo, se torna uma imensa reflexão sobre a vida, o viver e seus valores. Desse jeito mesmo que ela é:

finita. Com começo, meio e fim. Porque se fôssemos eternos, se fossemos deuses, se não fôssemos morrer, a conversa seria bem outra. A vida não seria vida. E o que chamamos de filosofia talvez não existisse.

MONJA

Para que serve a filosofia?

Ela reunia várias disciplinas que foram se especializando e se separando. Restou a ela a essência dos questionamentos sobre existência humana? Princípios, valores da ética e da beleza.

Faz-nos pensar, refletir. Não escapar das perguntas, das conexões neurais.

A filosofia mantém acesos os questionamentos existenciais. Faz-nos procurar em ensinamentos antigos e contemporâneos os sentidos aos nossos sentidos. A procura do encontro e do reencontro com o mais íntimo de nós mesmos.

Será que a vida tem sentido? Precisamos dar sentido à vida?

Infância, adolescência, fase chamada adulta, velhice... morte. Oba! Vamos morrer.

Tudo e todos sempre em processo contínuo, ininterrupto, de transformação. Você sabia que pode dar sentido a essas mudanças? Sabia que pode direcionar a sua vida como quem dirige um carro?

Para isso precisamos de treino.

Inteligência pode e deve ser treinada.

O que você tem feito para treinar a sua?

Terceiro dia

Cosmos

CLÓVIS

Ouvi a sexta badalada no carrilhão do mosteiro de São Bento. E eram mesmo seis horas da manhã!

Ontem falamos do sentido da vida. Nesta manhã, o tema é o universo. O mundo. O terreno de jogo. O lugar onde tudo acontece.

Na ciência, quando uma teoria desmente a outra e, de certa maneira, assegura a sua superioridade, a tese anterior torna-se meio *xoxa*, esquecida, apequenada. Passa a interessar aos historiadores da ciência. E só.

A produção científica não aceita clássicos. Desses que transcendem seu tempo. Uma teoria aplaudida hoje é atropelada hoje mesmo. Só restando a falseabilidade para contar a história.

Já na filosofia não é bem assim. A banda toca atravessada. Os pensadores são como a bateria de uma escola de samba – que estaciona, de lado, num bolsão, e, por isso, consegue animar o desfile do começo ao fim.

Curiosamente, filósofos de hoje não deixam morrer os antigos discursos científicos. A Física de Aristóteles, por exemplo, jurássica enquanto ciência, possibilita a pensadores como McIntyre propor verdadeiras preciosidades sobre as virtudes.

A sequência das ideias filosóficas faz lembrar mais a história da arte do que a história da ciência.

Ante uma obra de arte, o antigo pode nos encantar tanto quanto o contemporâneo. Assim, os vitrais, os pintores holandeses, os escultores antigos, a literatura de todos os tempos, a arquitetura em monumentos de todas as épocas etc.

Da mesma forma, o pensamento de tipo filosófico de outros tempos pode permanecer profundamente encantador para nós. A sabedoria ignorante de Sócrates. O hedonismo ascético de Epicuro. O estoicismo estoico de Epicteto. A condenação do apego de Lucrécio. O tempo de três em um de Agostinho. A gratidão em três níveis de Tomás. A dignidade na autonomia de Pico. O cogito fundador de Descartes.

* * *

Em meio a tanta coisa linda, quero destacar, nesta manhã, uma convicção dos antigos. A de que o universo – do qual fazemos parte – seria finito e ordenado. Por isso denominado Cosmos. Que quer dizer a ordem. Comumente comparado a um grande animal. Um organismo vivo. Quem sabe até uma máquina.

Esse Cosmos seria constituído por partes. E cada uma dessas partes teria uma função, uma finalidade. Se todas as partes fizessem o que delas se espera, então, o organismo funcionaria bem. Nada que um engenheiro mecânico não repita hoje em nota de sabedoria.

Por outro lado, se alguma parte desse universo começar a dar problema, claudicar, isso comprometerá o funcionamento do todo.

Alguém poderá pensar: "Nossa! Nesse Cosmos o vento cumpre o seu papel; quando venta, há fertilidade, refrigério, polinização das plantas. Também graças ao vento, chove. A chuva também cumpre o seu papel. Graças a ela, por exemplo, a maré mareia. Essa, mareando, também cumpre o seu papel.

* * *

Tudo parece muito interligado. Para eles tudo estava mesmo conectado. Num texto maravilhoso – intitulado "Diálogos do amor" –, Yehudah Abravanel apresenta, já no Renascimento, uma síntese do pensamento cósmico antigo embelezado por uma teoria do amor. Pelo que me lembro, ele diz mais ou menos assim:

– A geração do esperma do homem depende primeiro do coração, que dá o calor (...). Depois do cérebro, que dá o úmido (...), e do fígado, que dá o tempero. Em seguida do baço, que engrossa, e do rim, que o torna pungente, estimulante. Nos testículos ele se torna perfeito e capaz de gerar. E o pênis é responsável por lançá-lo. Lá aonde ele tem que ir.

Em suma, tudo tem a ver com tudo. Eis a mensagem do texto. Trabalho em equipe. O sucesso do todo depende da participação de cada parte. Para líderes corporativos, a mensagem de Abravanel é preciosa.

* * *

Certa vez – antes da minha palestra numa empresa – assisti a uma interessantíssima atividade proposta por um chefe de bateria de escola de samba. Cada colaborador recebeu um instrumento que nunca havia tocado. Com uma instrução rápida e alguns minutos de ensaio, o resultado foi surpreendente. Maravilhoso. Incrível.

Você me ouve com atenção e reflete: “E eu? E eu nisso? Será que sou um espectador do Cosmos? Será que o Cosmos é só um espetáculo para mim ou estou metido nessa história? Ou será que o Cosmos também depende de mim para bem funcionar?”.

Tenho certeza de que você optou pela segunda resposta.

Você e eu somos partes integrantes. E não somos qualquer parte, mas somos das mais relevantes; afinal de contas, o Cosmos espera que você, tanto quanto o vento, a chuva e a maré, possa cumprir cada um a sua finalidade.

* * *

Você já se concebeu como parte de algo maior alguma vez? Ou sempre se entendeu como uma individualidade cuja existência começa e termina em você?

Você reflete e pondera:

– Se for parte de um todo maior, toda a minha vida está vinculada a meu suposto papel ou função – complementar a todos os outros – e atrelada ao todo. Como descobrir, nesse caso, a minha função específica? Há em algum lugar o manual de funcionamento do Cosmos? Discriminado parte a parte?

E aqui entro para dar a informação mais preciosa do dia:

A resposta está em você.

– Como fazer?

Conhecer-se, uai. Não é à toa que a filosofia ocidental começa com esta recomendação: conhece-te a ti mesmo.

– Você diz que a resposta está em mim. Mas onde?

Na natureza de que você é constituído. Em especial, naquilo que ela tem de mais pujante, de mais potente. A natureza deu forças a cada uma das partes que a integram. Recursos, apetites, intuições. E essas forças são perfeitamente ajustadas ao tipo de intervenção esperada.

Em outras palavras. O vento – ar em deslocamento – é perfeito para ventar e cumprir seu papel, tanto quanto a chuva – que distribui a água com sua elegância em pingos – e o sapo – que, com sua boca e língua, é um exímio deglutidor de pequenos insetos. Ora, sendo assim, homens e mulheres vão na mesma pegada.

Seria impensável para eles que um talento que se manifesta em uma pessoa qualquer não fosse destinado a permitir-lhe um desempenho ajustado ao todo e, portanto, excelente.

* * *

Lembro do Piu Piu. Colega de escola por muitos anos. Desenhista melhor nunca vi. Hoje é professor da Faculdade de Arquitetura e Urbanismo da USP. História de vida que arranca aplausos dos sábios gregos. Assim como o Moretzsohn, minucioso e detalhista na hora de observar o mundo, tornou-se malacólogo nos EUA. Pesquisador de moluscos. Fama internacional. Existência que estende o tapete à natureza mais profunda.

Portanto, conhece a ti mesmo. Procure identificar "a sua praia". Só assim descobrirá o que o Cosmos espera de você. Assim pensavam os gregos.

A lição é linda. Por meio de reflexão profunda, ela joga luz sobre nossa natureza e sua verdadeira importância. Concede-nos o que temos de mais poderoso e, assim, permite-nos fazer da própria vida a mais bela homenagem a nós mesmos.

MONJA

Qual o meu papel e a minha função? Mas são tantos papéis e tantas funções! Um deles é o principal. Qual a característica central de um ser descentralizado?

Preciso me conhecer para poder definir, ser, ou, melhor ainda, *interser*. Palavra maravilhosamente nova sugerida pelo monge vietnamita Thich Nath Hanh. Coexistimos, intersomos.

Para percebê-lo é preciso procurá-lo.

Escreveu Mestre Dogen (1200-1253):

Estudar o caminho de Buda é estudar a si mesmo.
Estudar a si mesmo é esquecer-se de si mesmo.
Esquecer-se de si mesmo é ser iluminado por tudo que existe.
Nenhum traço de iluminação permanece e é disponibilizado a todos os seres.

Lembra o "Conhece-te a ti mesmo" de Sócrates.

Quando ouvi o terceiro "Despertar" do professor Clóvis, escrevi esse comentário anterior, e ele me respondeu, tudo por WhatsApp:

Observar-se permite conhecer-se. E conhecer-se exige esquecer-se de si.
Esquecer-se de si permite perceber-se iluminado por tudo que existe.
Mas nenhuma luz permanece, tornando toda definição impossível.
Por isso não somos.
Não há ser no deixar de ser.
Tampouco no vir a ser.
Regozijemo-nos.
Afinal, essa nossa falta de ser nos joga na vida.
Livres.
Se fôssemos algo, teríamos que prestar contas.
Viver de acordo.
Não sendo, inventamos, criamos, improvisamos.
Vivemos humanamente.

Chinchoi! – respondi – ou seja, *no alvo*!

Banzei!

Fiquei com vontade de pedir ao professor Clóvis que lesse e me explicasse sobre zen-budismo.

Quarto dia

Instinto

CLÓVIS

Sempre lembro-me do meu pai. Toda situação parece abrir a porta para que o passado compartilhado invada a mente sem cerimônia. O velho Clóvis de Barros era mesmo incrível! Proporcionou-me experiências que não esquecerei jamais.

Adorava me levar ao zoológico. Explicava-me, como podia, aquilo que a gente ia encontrando no passeio. Lá tinha uma plaquinha escrito *habitat* para cada animal, com as características naturais de cada espécie.

E meu pai dizia:

> Olhe esse animal. É cheio de pelos, ele gosta de clima frio. Então observe que o lugar onde ele mais está presente são as regiões frias do planeta. Aquele lá, por outro

lado, é todo *meio* pelado, gosta de climas mais amenos, quem sabe até mais quentes! Perceba como ele ocupa a região equatorial do planeta.

E assim, ele ia explicando. E eu ia aprendendo com ele.

Depois, muito mais tarde, estudando filosofia, aprendi, lendo Luc Ferry, que os gregos tinham um jeito próprio de pensar. Estavam certos de que havia e há – para tudo que vive – um lugar natural.

Sim, um lugar natural! E por quê? Alguns, mais afeitos ao calor, devem mesmo viver no calor. Enquanto outros, polares, sofrerão muito se saírem do gelo.

* * *

Você ouve o que acabo de dizer e se pergunta:

– Mas e nós, humanos?

Pois é! Nós dessa também não escapamos. Com uma nuance perturbadora.

Enquanto para outros viventes – ou entes da natureza – o encaixe se dá automaticamente, para nós é preciso ir atrás. Aprender a viver. Porque a vida, no nosso caso, pode ser vivida fora de lugar. Equivocadamente. Em desalinho com o todo. Em desencaixe.

– Mas por que isso acontece?

Porque o homem e a mulher não têm instinto. Isto é, não dispõem de uma resposta rígida para cada tipo de estímulo.

Algo do tipo gato com fome encontra lata de comida francesa para gatos – comida percebida e sensação correlata – gato saliva (aqui é verbo) e se aproxima – gato come e lambe os beiços. Inapelavelmente.

Já o homem e a mulher, vixe. É outra história. Você sabe bem.

Só proteína. Nada de carboidratos. Se for, só um tipo por refeição. Carne, nem pensar. Vermelha, gorda, bovina, suína, caprina, de capivara. Nada de leite de vaca, olha a lactose, olha a vaca, larga a teta dela, nada de ovo, cuidado com o colesterol e com a coitada da galinha, nada de queijo porque é leite sólido, nada de frutos do mar, olha o ácido úrico, nada de coisa crua à noite, de comida fria, de comida quente, de bebida gelada...

* * *

Em contrapartida, para nós não tem tempo ruim. Temos uma natureza adaptável a "n" situações. Genéricas mesmo.

Na falta de muitos pelos no corpo, graças à inteligência que é a nossa, as ovelhas nos emprestarão – com mais ou menos boa vontade – os pelos que têm em abundância. Um casaquinho sempre vai bem. E "se o calo apertar", um casacão! Também podemos nos depilar, no caso de natureza pilosa em demasia. Quando os pelos não ornarem com o entorno acalorado ou as expectativas mais íntimas.

Se quisermos voar, faltarão asas. Mas sobrará inteligência para asa-delta, paraquedas, planadores, monomotores, bimotores, turbinas, jatos etc.

Assim vamos substituindo as nossas carências de natureza por ferramentas e instrumentos que a razão nos permite produzir. E com isso, habitamos – de forma adaptada – os diferentes cantos do mundo.

* * *

Mas é claro, cada um de nós, apesar dessa capacidade de adaptação, terá seus pontos fortes e seus pontos vulneráveis. Aproveitaremos o que temos de melhor, vivendo onde mais nos convém, aproveitando assim nossos recursos mais poderosos.

É evidente que César Cielo não é peixe, mas quase! E dentro da piscina alcançou a exuberância do seu ser. Graças a essa circunstância, conseguiu descobrir o que tinha de melhor e tornou-se um exímio nadador. Assim também o maestro João Carlos Martins, que rapidamente descobriu em si talento musical. E fez da vida a mais linda homenagem à sua natureza.

Haverá também quem tenha descoberto, nos pesados bancos escolares grudados nas mesas de ferro do aluno de trás, uma doce e generosa capacidade de explicar – em alguns minutos e de modo simples – uma ideia que o professor tardou meses para apresentar. Talento de explicador.

* * *

Carlos Drummond de Andrade dizia que ler Machado de Assis era uma tentação permanente, quase um vício a que tivesse que resistir. Eu não resisto. Em "Cantiga de Esponsais", o mestre Romão Pires é regente de orquestra. E quem não o conhecia? Ar circunspecto, olhos no chão, riso triste, e passo demorado...

Tudo isso desaparecia à frente da orquestra; então a vida derramava-se por todo o corpo e todos os gestos do mestre. O olhar acendia-se; o riso iluminava-se: era outro. Não que a missa fosse dele; mas ele a rege com o mesmo amor que empregaria se sua fosse.

Acabou a festa; é como se acabasse um clarão intenso e deixasse o rosto apenas iluminado de luz ordinária.

Ah! Se mestre Romão pudesse ser um grande compositor. Tinha a vocação íntima da música; trazia dentro de si muitas óperas e missas, um mundo de harmonias novas e originais, e a luta constante e estéril entre o impulso interior e a ausência de um modo de comunicação com os homens. A causa de sua melancolia era não poder compor, não ter o meio de traduzir o que sentia.

Certo dia, à beira da morte, mestre Romão deita os olhos pela janela e vê um jovem casal. Ofegante de moléstia e de impaciência, o pobre velho torna ao cravo, mas a vista dos casadinhos não lhe supre a inspiração, e as notas não soam.

– Lá...lá...lá...

Desesperado, deixou o cravo, pegou do papel escrito havia pouco e o rasgou. Nesse momento, a moça, embebida no olhar do marido, começou a cantarolar à toa, uma coisa nunca antes cantada nem sabida, na qual um certo *lá* trazia após si uma linda frase musical.

Justamente o que o mestre procurara durante anos sem nunca achar.

O mestre ouviu-a com tristeza, e aí – Machado impiedoso! –, abanou a cabeça e a noite expirou.

Descobrindo o que temos de melhor, a vida tenderá a ser mais feliz. Buscando o nosso lugar no universo, poderemos explorar as nossas maiores forças e, com isso, alcançar *performances* mais perfeitas.

MONJA

Meu pai também me levava ao zoológico. Só que gostava de provocar a quem estivesse por perto. Por exemplo, quando chegava à área dos macacos, dizia que eram raposas. Ou na jaula da onça, dizia que era girafa. Coisas bem absurdas.

As pessoas que estavam à nossa volta arregalavam os olhos. Ninguém nunca o contestou. Fico pensando, por que seria? Claro que era absurdo! Nós, as filhas, achávamos graça, sabíamos que era brincadeira. Mas havia quem se afastasse cochichando "maluco".

Às vezes fazemos isso, nomeamos de forma errada o que vemos, o que acontece, o que sentimos. A realidade não é um nome, nem substantivo, nem pronome. É.

Há professores que estudaram muito, mas não conseguem ensinar. Tornam-se incapazes de explicar em miúdos. Outros sabem, explicam, tornam fáceis os conceitos considerados difíceis e nos provocam a pensar.

No budismo dizemos que há autodidatas, pessoas que estudam sozinhas, que não querem se consultar com professores ou grupos de estudos. São chamados de *pratyekabudas* – podem se tornar budas, seres iluminados e bondosos. Entretanto, tornam-se incapazes de explicar, de ensinar.

Há outros que só querem ouvir ensinamentos e explicações, que se encantam, mas são incapazes de pôr em prática o que aprenderam – são chamados de *sravakas* (ouvintes).

E há os terceiros, que são chamados de *bodhisatvas* – *bodhi* ou *bodai* quer dizer "desperto", e *satva* é "ser".

Ser iluminado, ser que despertou para a verdade. Essas pessoas ouvem, entendem e colocam em prática os ensinamentos. Por terem acessado a essência dos ensinamentos, se tornam também capazes de explicar, de ensinar, de transmitir.

Um não se torna o outro. Quando um *pratyekabuddha* procura um professor, alguém para explicar a ele, deixa de ser um *pratyekabuddha.*

Quando um *sravaka* põe em prática o que aprendeu, deixa de ser *sravaka,* e quando um *bodhistava* estuda, compreende, pratica, transmite, se torna Buda.

Entretanto, nada é fixo ou permanente. Buda se torna uma pessoa comum. E a pessoa comum é Buda.

Alguns sabem, outros não.

Quinto dia

Hábito

CLÓVIS

Olha você aí de novo. Nesta manhã em que perdeu a hora e ainda procura os chinelos debaixo da cama. Sempre achei que o tal lado bom da vida justificasse esta busca nauseada: dos chinelos debaixo da cama.

São seis horas. Porque confio no sineiro. Na sua precisão e pontualidade. E as badaladas ainda ecoam o badalo duro no sino duro do braço firme do frei Alberto.

Nem tudo na vida é comer doce de leite. Tampouco ler Stendhal. Há também o que precisa ser feito. Mas que não se compara. Dentre essas tarefas – do cotidiano com cara dele mesmo – há um pouco de tudo.

* * *

As coisas que são mesmo de todo dia, essas, gozado, não me incomodam tanto. Mas se porventura forem as tais coisas de "só de vez em quando", aí é outra história. A dificuldade aumenta muito. Nesses casos, para pôr as mãos na massa, é preciso pensar, deliberar. Vencer a inércia. Fazer intervir a vontade. E nem sempre esta é forte. Forte o suficiente.

Sempre me perguntei sobre a expressão "fraqueza de vontade". Teria mais a ver comigo. Mas essa ninguém enuncia. A que todo mundo repete é a outra. A sua invertida. Porque – seja descritivo, seja prescritivo – o relato dos homens e mulheres sobre si próprios costuma dar destaque ao mais positivo.

Às vezes tenho a impressão de que sou o único no mundo a perder quase sempre, entregar os pontos por antecipação e fugir sem pudor quando o calo aperta.

* * *

Mas deixa eu voltar ao hábito.

A quebra da estrita rotina desorganiza. Arremessa numa espécie de limbo contingente. Uma abertura perturbadora para qualquer coisa.

Um exemplo. Assim compartilhamos nossa vida. Lavar a louça não me incomoda. Porque faço três vezes ao dia. Nem paro pra pensar.

– Acabou de comer, lava a louça! – ordenava Da. Nilza.

As peças maiores eu estava dispensado de lavar.

– Deixa esse pirex que a mamãe lava – ouço ainda sua voz.

Porém, se tivesse que realizar a mesma tarefa só uma vez por semana, é possível que não o fizesse. Nunca.

O mesmo se dá com a tal atividade física. Nunca figurou entre minhas preferências. Mas, se todos os dias, na mesma hora, eu der uma corridinha e me movimentar, então isso acabará acontecendo sem muito drama. Em contrapartida, se passar um tempo sem fazer qualquer exercício físico e, de pronto, resolver, esporadicamente, dar a mesma corridinha, então o esforço requisitado será imenso.

Grande demais pra mim.

* * *

Talvez por isso mesmo Aristóteles, que dispensa apresentações, imenso sábio grego da Antiguidade, tenha sugerido que as aptidões devem se converter em hábito. Para se tornarem virtude. E, quando isso acontece, a vida virtuosa vai acontecendo, ação a ação, sem grandes dramas de consciência.

No entanto, antes de qualquer prática se tornar habitual, deve haver reflexão.

Algo do tipo:

– Esta prática realizada diariamente resultará em benefícios para mim. Portanto, vou integrá-la a minha rotina.

Porque no princípio de todo hábito existe uma escolha, uma deliberação. Depois a prática continua. E você se vê, pouco a pouco, dispensado de pensar sobre aquilo. Fá-lo-á por hábito justamente. Sem aquele sofrimento inicial a cada vez. Condição de um agir virtuoso. Segundo Aristóteles.

Por isso este despertar inspirado. Todo dia. Às seis da manhã.

Não se trata somente de excentricidade. É apostar numa revolução. Autorizar-se, todos os dias, a dedicar à própria alma alguns minutos. Prepará-la para realizar o que faz de mais sublime. Pensar lindamente. Mas isso todo dia. E na mesma hora, de preferência. A ponto de fuçar no YouTube da Revista InspireC enquanto o alarme ainda toca.

O sonho do explicador é que você sinta falta, quando acabar.

Como a nossa proposta é de reflexão sobre a vida na quarentena, serão quarenta encontros. Seria maravilhoso que algum de vocês pedisse a continuidade. Argumentasse que a quarentena durou mais dias. E que isso deveria se estender.

Mas tudo começa com perguntas. Com pensamento. Este indica a ação que se repete. Por que não uma chance ao pensamento sobre a vida? Por que não fazer reflexão sobre si mesmo? Por que não dar uma oportunidade de três, quatro minutos por dia para pensar sobre o que vamos viver e como tornar isso cada vez melhor?

* * *

Encerramos nossa primeira semana com um convite a nós mesmos. Um convite à realidade que é a nossa. E à possibilidade que temos de não só nos exercitar, enquanto atividade física, mas também nos exercitar enquanto atividade espiritual, enquanto produção da alma. Sinapses focadas no bem viver.

Em nenhuma das manhãs propusemos verdades impostas em dogma. Limitamo-nos a nos alegrar com o procedimento. A nos encantar com o diálogo. E nos fascinar pelo processo. Pela abertura do espírito.

Que você fique com Deus. Que tenha, por meio deste diálogo, um despertar inspirado. E que essa inspiração se faça vital, indispensável e habitual.

MONJA

Todas as manhãs temos de dar alguns segundos de atenção para nós, no mais íntimo de nosso ser e, incrivelmente estranho, talvez o mais desconhecido aspecto de nossa vida.

Acordar – e depois de banheiro, escovar dentes, lavar o rosto, trocar de roupas, podemos nos sentar em silêncio. Olhar, observar sua mente, o seu íntimo.

Não é sentar para pensar. Nem é sentar para não pensar. É meditar. *Zazen*.

Quando meditamos, reconhecemos que há pensamentos e não pensamentos. Alguns minutos em silêncio e observamos uma grande e constante atividade mental.

De onde surgem os pensamentos?

Pode ser um som, uma fragrância, uma luminosidade – seja o que for, pode desencadear uma infinidade de pensamentos, memórias, sentimentos.

A sugestão do professor Clóvis é sábia.

Acordar, despertar e dar alguns minutos para estar com você mesmo. Conhecer com intimidade a si mesmo.

No início pode parecer inútil, tolo. Há tanto a ser feito... Cinco minutos parecem uma eternidade.

Pouco a pouco vamos nos acostumando.

De repente, um dia, ficamos dez minutos sem nem ter percebido.

Noutros dias não conseguiremos mais do que os cinco iniciais, com grande esforço! Mas vamos criando um hábito.

O que fazemos habitualmente se torna mais fácil. Por isso é preciso encontrar um canto agradável. Repetir todos os dias no mesmo horário e no mesmo local.

Convido vocês.

Apenas sentem-se em silêncio.

Deixem que este computador de última geração chamado cérebro processe as informações.

Não fiquem pensando. Deixem o pensamento ir e vir. Reconheçam pensamentos, sensações, sentimentos, memórias e presença pura. Apenas estar sentado, respirando, *sendo*.

Observem sua respiração. Mantenham a coluna ereta. Respirem suave e profundamente.

Então se levantem cuidadosa e respeitosamente.

Alinhem-se, façam a refeição matinal com tranquilidade e respeito à vida que se torna a sua vida. Reconheçam em seus corpos as necessidades verdadeiras.

Leiam um livro inspirador.

Agora, sim, pensem, reflitam, considerem, comparem. E tenha um ótimo dia.

Prática é realização. Somos o que praticamos.

Sexto dia

Conhecimento

CLÓVIS

Conhecimento para Platão. Uma crença verdadeira e justificada. Conhecimento para Aristóteles. Uma crença também. Verdadeira e justificada, também. Mas comprovada. Não é por acaso que este último se torna o pai da ciência.

* * *

A rainha da Macedônia estava grávida. Aquele que levava em seu ventre seria o herdeiro. O futuro rei. Preocupada com o que estava por vir, resolveu consultar o oráculo. Em Delfos. E recebeu o vaticínio.

Seu filho seria grande.

Impactada por aquela profecia, resolveu assegurar a sua realização. Procura por Aristóteles, grande sábio daqueles tempos. Relata a profecia do oráculo e lhe pede que eduque aquela criança. O filósofo aceita a incumbência.

Propõe ao seu aluno, desde o primeiro encontro, um desafio. Condição para que ele se tornasse grande. O conhecido desafio de Aristóteles.

Zangar-se é fácil. Qualquer um se zanga a todo instante. Basta um atraso, um copo quebrado, uma toalha molhada em cima da cama, uma eructação sonora à mesa, um dia sem banho, uma fechada no trânsito, uma palavra torta etc.

Mas zangar-se com a pessoa certa, na medida certa, na hora certa, pelo motivo certo e da maneira certa, aí são outros quinhentos, como sempre dizia a Da. Nilza. Se conseguir, será grande.

Assumiu a educação do jovem príncipe. Que cresceu e se tornou conhecido e importante. Ao longo da vida de soberano e militar, nunca esqueceu o desafio de Aristóteles.

Acreditava que só seria verdadeiramente grande se correspondesse ao que lhe propusera o sábio.

Por isso, nunca tomou decisão importante sob o calor da emoção. Nunca atribuiu valor a nenhuma conduta de outrem contaminado por raiva extrema. Assumiu o quanto pôde as rédeas da própria vida. Sem se deixar enredar pela desmesura dos próprios apetites.

Alexandre não teria sido grande se não tivesse honrado os ensinamentos de Aristóteles.

* * *

Lá atrás, nos tempos de ensino fundamental, eu tinha um grande amigo. Éramos vizinhos, estudávamos na mesma classe, íamos e voltávamos da escola caminhando, conversando e trocando ideias. Enfim, éramos daqueles amigos inseparáveis.

Esse meu amigo foi estudar biologia na USP enquanto eu fui para a área do direito. Depois ele se mudou para Honolulu, no Havaí, e mais tarde tornou-se professor no Texas.

A sua especialidade? Moluscos. Por isso ele era um malacólogo. Passou a vida pesquisando moluscos. Investigando tudo sobre eles. A ponto de, vejam só, uma concha ter sido batizada com o nome científico de Moretzsohn, seu sobrenome.

Meu amigo era um investigador. Escreveu muitas coisas que foram publicadas em revistas científicas. Contava, em seus artigos, suas descobertas. Coisas sobre moluscos que ninguém sabia. Esses artigos de ponta foram lidos por muita gente. Alunos de pós-graduação. Professores de biologia. Autores de livros didáticos.

E assim, os estudantes de hoje, esses que estudam na mesma escola que frequentamos há mais de quarenta anos, leem livros que relatam as descobertas do Moretzsohn. Jovens adolescentes, no ensino médio, estudam zoologia e aprendem sobre moluscos graças a ele.

Alguns poderão se encantar. Prestarão biologia no vestibular. E se dedicarão à pesquisa. E, graças ao meu amigo, não começarão do zero. Nem do um, nem do dois, nem do três. Porque estão escorados firmemente, em ombros de um gigante.

Essa rede vai longe.

Ao estudar, entramos em contato com a alma de muita gente que participou da produção do discurso estudado. É a humanidade trabalhando em equipe. Para que, um dia ainda distante, os adolescentes do momento possam saber que Moretzsohn foi uma imensa pessoa. Um grande intelectual. Entre os maiores cientistas brasileiros. Um digno herdeiro de Aristóteles.

Ah. Moretzsohn é também o nome científico de uma concha. Em cuja existência ninguém, antes dele, tinha reparado muito.

Meu amigo nos deixou em janeiro de 2020. Aos 55 anos. Está perto de Deus neste momento. Deixa filhos, esposa, família e uma legião de admiradores. Além de um amigo saudoso, que ousa aqui uma singela homenagem.

Porque não há como ser grande na ciência e no conhecimento sem carregar consigo algo da inspiração e da sabedoria de Aristóteles e de Moretzsohn.

MONJA

Não sou acadêmica. Agradeço profundamente os que puderam se dedicar aos estudos de textos antigos, a pesquisas comparativas, escreveram livros, criaram manuais, reproduziram e comentaram os ensinamentos antigos e os tornaram acessíveis a mim. A linguagem, as analogias, a sintaxe – tudo era diferente, e, muitas vezes, se tentarmos ler sem os comentários dos especialistas, podemos nos enganar, inclusive da verdadeira intenção do autor.

Minha vida monástica se resume em praticar *zazen*, cuidar do templo, dar aulas e palestras, escrever livros de fácil leitura e manter as liturgias tradicionais. Sobra pouco tempo para leituras e estudos mais profundos do darma. Pratico o que alguns comentam, escrevem e falam sobre.

Quando encontramos alguém que, além de estudar, além de entender intelectualmente, é capaz de pôr seu conhecimento em prática na vida, dizemos que é uma pessoa coerente.

Você é coerente com seus valores e princípios?

Aliás, você segue, mantém, conhece o que seriam valores e princípios?

Há tantas pessoas no mundo...

Todos somos o que praticamos: como vivemos, como falamos e como pensamos.

Mestre Dogen, no século 13, queria escrever cem capítulos de ensinamentos. Não terminou a obra. Deixou mais de noventa textos inspiradores e questionadores. Um deles intitulou "Gyo Ji" – Gyo é prática, e Ji, princípios, valores. Praticar corretamente. Praticar o quê? A própria vida. Viver.

Nesse processo podemos escolher ser jogadores de futebol ou tenistas. Seremos tão bons quanto praticarmos, exercitarmos. Se apenas lermos manuais, livros sobre ou histórias de grandes atletas, podemos ficar inspiradas, mas teremos de entrar no campo ou na quadra, tocar a bola e a raquete. Grande esforço, de alguém sem nenhuma habilidade, pode não dar grandes resultados. A dificuldade é que, muitas vezes, a pessoa de habilidade, facilidade, vocação, acaba não praticando muito, pois se acha hábil e capaz. Lamentável.

Se a pessoa com habilidade praticar – de forma regular e sistêmica – tornar-se-á excelente. Essa excelência não é para que os outros reconheçam e aplaudam, não é para enriquecer ou ter poder. É para ser feliz. É para sentir-se bem, realizada.

Realizada é aquela que realiza, que pratica.

Somos o que praticamos.

Sétimo dia

Essências

Acabei de ouvir as seis badaladas do sino do mosteiro. Não há dúvida. Esta é a melhor ocasião para nos oferecermos um despertar inspirado.

Qual será o papel da escola?

Essa foi a pergunta que fiz a colegas numa *live* organizada pela Secretaria de Educação de um estado no Sudeste do país. Afinal de contas, se professores, coordenadores, pedagogos têm de tomar decisões, não é possível ensinar tudo, fazer escolhas, assumir a responsabilidade e o risco pela definição de um currículo que inclua e exclua.

Só saberemos se escolhas foram bem-vindas e se foram boas se tivermos claro na mente o que esperamos conseguir com os nossos alunos. Temos de ter clareza do resultado final a ser alcançado, caso contrário, a avaliação pedagógica estará comprometida.

* * *

Conhecer o mundo. Conhecer a si mesmo. Que também é mundo.

Mas o que haveria a conhecer das coisas do mundo? O que haveria a conhecer de si mesmo?

Ora, o que faz que cada coisa seja o que é. E nós mesmos sejamos o que somos.

Show de bola. Mas o que será que faz com que cada coisa seja o que é?

Mesas – diferentes umas das outras – são todas mesas. Homens e mulheres – diferentes uns dos outros – são todos homens e mulheres.

Como podemos saber disso? Porque há algo por trás de qualquer mesa que a faz mesa. Como também de qualquer homem ou mulher.

Eita. E o que faz de uma mesa qualquer uma mesa? Ou de um homem ou mulher qualquer humano?

Uai. Algo que lhe seja essencial.

Por que não chamamos de essência de uma vez?

Se você quiser, por que não?

Agora, para você que acabou de acordar, o tranco é forte. O que é essência de mesa? O que lhes é a todas essencial? O mesmo para homens e mulheres.

Há alguma essência para o humano?

Fomos adestrados a acreditar que sim. E que a nossa capacidade de pensar estaria por trás disso. A tal da razão. Pensar seria o diferente. O diferencial. Em relação a qualquer outra coisa. O que nos discriminaria. Distinguiria. E nos colocaria à margem do resto.

Bacaninha. Mas inquietante. Temos alguma certeza sobre o fato de pensarmos. Na primeira pessoa do singular. Eu mesmo, agora, estou diante desta câmera. E estou pensando para enunciar estas bobagens.

Mas e você? Como posso saber o que está passando pela sua cabeça? Se algo passa pela sua cabeça? Se algo jamais passou pela sua cabeça?

Você dirá: ora, é só perguntar que eu digo em que estou pensando.

Será? E se você for um gravador? Este também pode enunciar uma frase como: "Estou pensando na minha namorada". Não tenho como ter certeza de que você está dizendo a verdade.

Você então contesta. Mas como um gravador poderia saber com antecipação a sua pergunta para ter a justa resposta pronta, ali gravada? E depois, um gravador só grava. Alguém que pensa precisa acioná-lo.

Está bem. Deixemos o gravador de lado. Tomemos um robô. Esse pode tranquilamente, com todos os algoritmos da vida, ouvir a pergunta e engendrar resposta plausível. Talvez com mais precisão e fluência que eu. Dialogará horas comigo.

Será capaz de me surpreender, talvez. E de me entreter. Pelo lado de fora, não dá pra dizer a diferença entre o que acontece dentro dele e dentro de você.

Mas se não houver alguma essência – ou natureza humana –, o que haveria a conhecer no autoconhecimento? O que haveria a buscar na busca de si mesmo?

Bem, não pense que eu tenha alguma resposta a dar.

* * *

Mas os gregos tinham. E ela é maravilhosa!

Para eles, o Universo, como já vimos, é finito e ordenado, como um grande organismo vivo. Cada pedacinho do Universo tem uma função ou finalidade.

No caso do homem, ele descobre o seu papel cósmico analisando a própria natureza. Para isso, é preciso conhecer a si mesmo, entender qual é "a sua praia".

Portanto, o papel primeiro da escola é criar condições para essa descoberta. Permitir ao aluno identificar qual é "a sua praia". A sua natureza maior. A sua grande força.

A multiplicação de experiências no interior da escola, de forma programada, permitirá aos educandos, aos poucos, excluir o que não tem nada a ver com eles. E, sobretudo, indicar positivamente "a praia" de cada um.

Vencida essa etapa com sucesso, educadores estimularão, a partir de então, algum aperfeiçoamento. Para que cada aluno se acostume a fazer melhor o que mais gosta de fazer. Caberá, portanto, à escola apostar suas fichas na especificidade dos talentos de seus alunos.

* * *

Portanto, péssima seria a escola que tomasse todos os alunos como uma unidade, um número, um cliente a mais. Péssima seria a escola que estivesse preocupada apenas em padronizar conhecimentos como se ali todos fossem, de fato, pessoas idênticas.

Considerar a diferença específica de seus alunos implica dar a cada um a chance de procurar e encontrar o máximo de perfeição dentro dos limites da sua natureza.

Só nesse caso a escola participará do aprendizado mais nobre. Aprender a viver. A perseguir a vida boa. Pelo alinhamento entre a essência e a existência. Entre o eu mais profundo e as condições materiais do seu florescer. Entre a própria natureza e a felicidade.

* * *

Conta-me uma ex-aluna: “Não fui à escola na primeira infância. Doença pulmonar crônica, cardiopatia congênita. Abdicando das aulas de educação física, e contrariando o prognóstico, passei a frequentar o colégio já aos onze anos.

Alfabetizei-me antes, sozinha, e é bom dizer que na minha casa não havia televisão".

Aprendi desde cedo que cada homem é um coquetel diferente. Tantos por cento de timidez. Uma pitada de dignidade, tanto de satisfação de si mesmo, um pouco de luz, um pouco de sombra, tanto de suficiência, e ainda mil coisas secretas: o amargo das humilhações, o ranço dos complexos, o sal obscuro da hereditariedade, o gelo dos fracassos, a chama dos elogios...

Sem considerar o detalhe, a escola católica classificava com simplicidade pueril a mim, que pertencia ao mundo da palavra.

– Perdoe tanta moralidade inútil, professor – ela dizia –, pelo menos se trata de filosofia barata, ainda não tabelada pela ciência do senhor Moreira Salles. É que estávamos na fila do banco.

Seu eu sorria, zombava da professora.

Se permanecia composta e grave, arquitetava o seu vexame, e deveria ir à diretoria. Sim, confesso que ficava meio vesga, bastante tímida e integralmente pobre quando tinha de pedir alguma coisa à professora. Porque, em geral, elas traziam nos olhos o brilho frio e impessoal de uma lustrosa máquina de calcular.

E quando eu me sentava a um canto e me transformava num número, rangiam dentro de mim as polias enferrujadas da máquina do mundo, estralavam as engrenagens, fremiam as correias de transmissão entre mim e as donas da vida, e eu ali sonhava, à sombra cansativa do banco da diretoria, com uma paisagem nua, varrida de tempestades desumanas, sem tempo e algarismos.

Chamou-lhe o gerente.

* * *

Que nos ouçam nossos pedagogos. E que considerem essa possibilidade. O respeito pela diversidade da matéria-prima potencialmente virtuosa que tem nas mãos. Que ele possa ser significativo na tomada de decisões e nas escolhas pedagógicas que vierem a fazer.

Um bom mestre é como um bom carpinteiro.

Seja qual for a madeira que receba, será capaz de fazer com que a sua beleza e qualidade se revelem.

O carpinteiro não projeta a beleza e a qualidade na madeira. Dele é a capacidade de observar em profundidade e trabalhar a madeira de modo que ela revele o seu melhor, que dela mesma surja a sua função.

Não são apenas as peças retas as melhores para se trabalhar. A beleza é perceber a graça no desalinho, na transgressão, que pode levar a mudanças profundas no olhar de quem puder ver.

Escolas são locais de formação de seres humanos. Os menores precisam de melhores professores, educadores, pois estão absorvendo as bases da sua personalidade.

O corpo docente deve estar consciente de seu papel de educar. Corpo docente capacitado, bem treinado, bem remunerado e hábil a descobrir talentos nos esconderijos de cada educando.

Estudei parte de minha vida numa escola pública e parte em escolas privadas. Na escola pública, pude conhecer e conviver com crianças de todas as partes da cidade, de todos os níveis sociais e com as mais variadas necessidades especiais. Nas escolas particulares, as diferenças sociais e especiais eram bem menores.

Há um ano ou dois, fui a uma escola da Prefeitura de São Paulo, no bairro do Butantã. Havia na parede a seguinte frase: "Aqui somos todos mestiços e todos temos necessidades especiais".

Abençoado corpo docente.

Todos nós somos realmente mestiços e todos temos necessidades especiais. Cabe aos educadores perceber qual a necessidade de cada criança, de cada adolescente, de cada aluno ou aluna, e ser capaz de desenvolver suas capacitações sem comparar uns com os outros, mas criando espaços para relacionamentos inclusivos e sinceros.

Escola não é lugar para formar máquinas capazes de desempenhar papéis sociais adequados. É local de ensinar a pensar, a questionar, a conhecer a si mesmo, reconhecer sentimentos e emoções e saber lidar, com sabedoria e ternura, com a própria existência e a de todos os seres. Somos todos especialmente diversos. Acolher é transmutar.

Viva a educação.

Sugestão a todos os docentes de todos os níveis: incluam nas práticas de autoconhecimento as práticas de silêncio e meditação. Acredito que as práticas de reflexão, desde os primeiros anos escolares, auxiliarão o desenvolvimento de pessoas despertas, capazes de fazer melhores escolhas. Pessoas que não serão manipuladas e não manipularão ninguém, mas poderão apreciar a vida, compartilhar e colaborar para o bem de todos. Pessoas capazes de mergulhar no conhecimento que transborda e alegra.

É preciso adequar-se aos novos modelos da tecnologia.

Aulas devem ser interessantes, divertidas, alegres.

Nem todos têm a mesma habilidade de explicador como o professor Clóvis, nem a alegria de ensinar o que mais apreciam.

Não é preciso comparar-se, mas inspirar-se e saber a importância de explicar direito, de causar interesse, de usar meios hábeis. Aos meios hábeis chamo de *compaixão*.

Cuidar do corpo docente com sabedoria e compaixão é cuidar do nosso presente, passado e futuro comuns.

Oitavo dia

Simples

CLÓVIS

Queridos amigos. São precisamente seis da manhã. Badalo implacável. Quinze minutos após o alarme do Toshiba. Quarto de hora separando o sono da vigília. Será suficiente? Espero que sim.

Lembro dos longos anos de pós-graduação. Não me refiro aqui aos que cursei. Que também batem à porta da memória carregando pilhas de artigos fotocopiados. Estou falando da pós em que trabalhei como professor. Dessas de período integral. Que tem que publicar nas revistas autorizadas dos amigos de qualquer jeito. Tocou-me a coordenação alguma vez. Bem como a disciplina de metodologia.

Em meio a tanta gente maravilhosa que frequentava a bibliografia, cabia a mim oferecer os instrumentos para que o aluno conseguisse chegar ao final de sua dissertação ou tese. E o primeiro passo era recortar o objeto. Delimitá-lo. Definir o que seria efetivamente pesquisado no mundo.

Em algumas conversas, sair da "história da dramaturgia televisiva no mundo" e chegar à "recepção da telenovela Roque Santeiro por alunos da rede pública no primeiro ano de ensino médio e o diagnóstico seletivo de princípios éticos de conduta nas personagens centrais da trama". Nunca fui tão irônico em meu trabalho. A atividade de poda, de debastação, de redução era operada sem dó. Com ferramentas de grande porte e pouca precisão.

Ganhei o justo apelido de Machadão.

O que me fez pensar.

* * *

O homem é um simplificador.

Não tenho a menor ideia de como ficaria em latim. Mas sempre cai bem. Como *Homo sapiens*, *erectus*, *economicus* etc. Simples é *simplex*. Simplificar é *simpliciorem reddere*. Este *reddere* deu origem a *rendre* em françês e *reddere* em italiano. Tornar para nós. Tornar simples, portanto. Homem simplificador é o nosso desafio. *Homo simpliciorus*. Bem que tentamos. Mas voltemos ao que importa.

O homem é um ser que simplifica. Essas tentativas de definição já são uma prova. Refiro-me mais concretamente à aversão ante o descontrole da pluralidade, da diversidade, da infinitude de combinações, bem como do deixar de ser que escorre por entre dedos trêmulos e desesperados.

Claro que essa já é uma simplificação do ser pensante. Ele pensa. E – ao pensar – torna simples. No sentido de converter o inabordável, incompreensível, indomável do infinitamente plural e transitório em menos coisas. E tomá-las como chão mais firme.

É o que eu acho. E não peço aqui a adesão de ninguém.

* * *

Aristóteles fala dos pensadores antes dele. Destaca Tales. Que, você sabe, era de Mileto. Da tal Ásia Menor. Era, portanto, um asiático menor. Atual Turquia. Você se lembra dele. Com certeza. O mesmo do teorema. Três paralelas cortadas por duas diagonais, piriri, pororó. Pois bem. Foi ele o primeiro a arriscar uma resposta racional sobre as origens. Sobre o princípio de todas as coisas.

Sobre o tal do *arché*. Em grego essa palavra indica tanto um princípio norteador do resto como um soberano, tipo rei ou imperador. Os dois significados se namoram.

No lugar de um superdeus, Tales garante que a origem de todas as coisas é a água. Esta correspondia ao átomo, dos atomistas.

Pois muito bem. O mais interessante aqui não é propriamente a água, ou o ar, a rapadura, o iodo ou qualquer outra coisa no lugar. O que chama a atenção foi essa necessidade psicológica de reduzir o plural em singular. A zona perturbadora das zilhões de coisas na simplicidade higiênica e apaziguadora de uma coisa só.

Sim. Simplificar. Mas que necessidade justifica a iniciativa?

Tornar viável a gestão? Fazer crer em alguma compreensão do mundo, que, do jeito que se apresenta, é poluído demais? Conseguir comunicar? Fazer o real caber nas palavras? Nos enunciados? Estancar o fluxo, a impermanência? Para que o deixar de ser, em última instância, nunca deixe de ser? Para que o fundamental seja sempre o mesmo? Será vontade de verdade a qualquer custo?

Ou coisa de criança mimada que, no fim da aula, de saco cheio, fecha o caderno, guarda tudo na mochila e diz para si mesma:

– Até aqui foi. Daqui pra frente, dane-se!

Bem. Esse cacoete simplificador não morre com Tales.

* * *

Todo homem, por sua natureza, deseja saber. É o que sugere Aristóteles. O primeiro passo dessa busca é a experiência. Observação pelos sentidos do que acontece no mundo, acompanhada de uma produção discursiva a respeito do que foi observado. Assim, depois de olhar mais de uma vez para a mesma planta, você comenta para si:

– Que coisa essa primavera! Sombreia nosso pasto do lado externo da cabana. Numa época do ano parece até que morreu. Para meses depois se cobrir de folhas e flores.

Saber implica ver e constatar. Isto é, dizer a si mesmo. E – se tiver alguém para ouvir – eventualmente enunciar.

O passo número dois é a multiplicação disciplinada de experiências. A observação de uma série de casos particulares do mesmo tipo permite antecipar que – repetidas as mesmas condições – tais e tais ocorrências se verificarão. O exemplo do filósofo é a medicina. Um grupo de indivíduos pode ser curado de uma série de sintomas similares por um remédio similar.

O terceiro passo implica se perguntar sobre a causa de esse remédio funcionar. Dessa forma, passamos da simples soma ou justaposição de experiências particulares a uma generalidade. O que nos permitiu estabelecer uma regra geral. Por exemplo. Ante todo sintoma com certas características que se manifesta em certo tipo de indivíduo, tal remédio vai funcionar.

Techné. Eis o nome em grego. Técnica ou arte, para nós. No sentido de arte médica, por exemplo. Saber fazer produtivo que passa da experiência à generalidade e ao conhecimento das causas. Que não seria o que é não fosse o horror primordial ao desvairado plural e ao fúnebre perecível.

Mas não para por aí.

Aristóteles solta uma que eu adoro. Ele diz mais ou menos assim. Quando nos demos conta de que já tínhamos todo o necessário para a vida, então, sentimos a necessidade de nos ocupar de coisas menos úteis e elementares. Mais elevadas, portanto.

Por que adoro?

Ah. Imagina como aqueles caras viviam. Um pedaço de pano. Uma sandália e olhe lá. Moradia simplória. Nenhuma sofisticação. Zero vezes zero de luxo. E não é que ele conclui que, como o necessário já está na mão, é hora de pensar com mais qualidade!

Hoje temos o Universo inteiro, ida e volta, a mais de recursos do que eles tinham. E continuamos preocupados com o útil e com o acúmulo. Bem, outros tempos. Não posso falar nada. Adoro mochilas de preços extorsivos.

Bem. Voltemos ao conhecimento. Ainda tem a Sophia. Conhecimento de um tipo particularmente aprofundado. Supera, portanto, a *techné.* Objetiva articulações da mente de tipo não utilitário. São conhecimentos não estritamente necessários à vida e que tampouco incrementam suas condições materiais. Aquele tipo de conhecimento que o vulgo mais ignaro costuma deslegitimar com considerações do tipo "não serve para nada".

De fato. Não está a serviço de nada que lhes dê migalhas de valor. Valem por si. Não servem, portanto, a nada mais. Porque são os mais elevados.

* * *

Simples. De preferência um só. E que fique paradinho. Que não mude. Nem de lugar, nem se deteriore. Muito menos desapareça. O uno e o eterno é o que me deixa tranquilo.

Reduzir tudo a um elemento só, tipo Tales e seus colegas de antes de Sócrates, foi só o começo. Um estágio embrionário da nossa cruzada contra o que nos escapa.

Evoluímos para enquadrar tudo num esquema só. Onde tudo que existe encontra ali, e só ali, a sua razão de ser. O sentido para a sua existência.

Aí, sim.

Aprendemos que os gregos nos colocaram num todo fechado e todo ordenado, organizado. Com cada coisa no seu devido lugar. Cada peça funcionando adequadamente. O todo integrado, absolutamente harmônico, em perfeição. Aprendemos que devemos viver cada um de nós "na sua praia", "no seu quadrado", fazendo aquilo que a natureza indica, o mais perfeitamente que conseguirmos.

Agora nossos problemas acabaram.

O que é o justo? Resposta: Cosmos. É o ajuste da ação no esquema.

E a *polis*? Como deve ser governada? Resposta: Cosmos.

E o belo? Resposta: Cosmos. Pareceu com ele, magnífico. Caso contrário, monstruoso.

E a felicidade? Resposta: Cosmos. Integrou harmonicamente, vida feliz. Eudaimonia. Pleno florescer de si mesmo. Não encaixou? Vida de terror. Desarmônica.

* * *

Diante dessa afirmação, você poderá pensar:

– Bacana! Entendi o Universo, entendi que faço parte do Universo. Mas como posso ter certeza disso? Como posso saber de fato se estou em harmonia com o todo? Dá uma dica de como saber que, de fato, estou integrando esse Universo de maneira fluida, harmoniosa e plena.

Posso dar uma lição bem simples. E tome simplicidade!

No instante em que alguém faz parte do Universo, como fragmento de algo que é eterno, a vida desse alguém é tão plena, é tão completa, que não terá espaço na própria mente para pensar em outras vidas ou em outras possibilidades de vida.

Essas coisas que vêm à nossa cabeça, como elucubrações do tipo:

– Ah... se eu estivesse em outro lugar seria melhor... nossa, como foi boa a vida vivida no tempo de faculdade... como serei feliz quando conseguir trocar de carro... quando eu ocupar o lugar do meu chefe, quando eu tiver um salário maior, como serei feliz quando estiver aposentado! Quando eu comprar uma chácara... quando eu for morar à beira-mar!

Então essas coisas que passam pela nossa cabeça e que nos remetem a vidas que não são as nossas, elas indicam certa falta ou desvio do viver. Quando a vida é plena e harmoniosa, quando integramos a máquina de maneira completa, não há espaço para nada disso! O passado desaparece. Não há nostalgia, não há culpa, não há arrependimento.

O futuro também desaparece. Não há necessidade de antecipar nada. O presente satisfaz, preenche. E quando isso acontece, o tempo passa e você não percebe.

Lembro-me de um grupo de estudos sobre Bakhtin. A reunião começava às duas da tarde. Numa delas, o sol se pôs e não nos demos conta. Só paramos às dez da noite. Para desespero de alguns que não viram o tempo passar e deram o cano em deus e o mundo.

Tínhamos ficado quase doze horas discutindo sem perceber o tempo passar. Se um grego soubesse dessa nossa jornada, diria: “Sintoma de harmonia, de pertencimento fluido ao Cosmos. Não se deram conta do pôr do sol. Do passar do tempo. A vida vivida bastou. Sem dar espaço a outras”.

* * *

Você poderá me perguntar:

– Professor, o senhor sempre viveu assim? – ao que terei de responder negativamente:

– Quase nunca!

Quase nunca, porque fiquei cinco anos estudando direito, sabendo que o direito não era bem "a minha praia".

Quase nunca, porque depois fiz pós-graduação na França e as dificuldades econômicas eram tais que praticamente passei quatro anos esperando para poder voltar.

Quase nunca, porque as minhas atividades profissionais me faziam pensar em subir de carreira, ir para um lugar melhor, ir para uma instituição que me acolhesse com melhores condições.

Em suma. Passei o tempo inteiro indo atrás do que nunca tive.

No atual momento, o que me passa pela cabeça é a aposentadoria. Sem ter que fazer nenhum tipo de pirueta para sobreviver. Eu e a nuvem que me acompanha. A nuvem da retina necrosada. Do nervo ótico escavado. Que de passageira não tem nada. Pelo contrário. Nuvem chiclete. De cumplicidade canina. Iremos ambos. Grudados. Com a vida ganha. E devastada ao mesmo tempo.

Ah! Não tenho mesmo do que me queixar. Nuvens precisam de muito pouco para continuar onde estão.

Parece que minha vida nunca foi plena o suficiente. O Cosmos e eu somos a história de um emperramento recíproco. De uma relação enroscada. Eu puxando de um lado, e ele do outro. *Hybris*, diziam os gregos. Com y de u francês. Com biquinho. Assim me ensinaram. Significa teimar em viver fora do seu devido lugar.

São tantas as situações...

* * *

Cheguei esperançoso à idade de merecer a plenitude sem que se operasse um milagre. Por vezes, só às vezes, tive a boba e grata ilusão de estar chegando lá. Controlei alguns demônios, outros naturalmente me deixaram; senti valorizado em mim o sentido da justiça; abri os olhos às minhas complacências indevidas e fechei aos rigores de raiz nos ressentimentos. Demissões, mutações se operavam em mim enquanto aguardava a delícia da plenitude.

Mas ela não veio. Não virá, eu sei. Esvaziei-me a princípio no desengano, depois numa espécie de contentamento venal. Lembro-me agora do querido Paulo Mendes Campos, que numa crônica escreveu: "Há em mim umas poucas fibras já atingidas pela doçura do outono, e há em mim – o que é irreparável – grandes estrias verdes que teimosamente não querem morrer".

Querido Paulo, mineiro de São João Del Rey. Nunca forçarei a barra da intimidade que não mereço. Aqui fala um fã, ao telefone. Liguei só pra dizer que acabei de ler sobre as estrias verdes. E que, no meu caso, nunca foi teimosia. Foi só o que foi. É só o que é. E será só o que puder ser. Necessariamente.

MONJA

Essa visão de mundo dos gregos me faz lembrar *Dona Flor e seus dois maridos*. O segundo marido era todo certinho e dizia: "Um lugar para cada coisa e cada coisa em seu lugar".

Pode-se usar o pensamento grego para manter discriminações e preconceitos de forma gravíssima, como travar pessoas em posições e tarefas de acordo com sua capacidade de aprendizado e de nascimento.

A capacidade de aprender, de pensar, de comparar, de escolher, está também relacionada a provocações, treinamentos, alimentação, saúde física, mental e social. Por isso, Buda dizia que nobre é aquela pessoa que se comporta como nobre, não pelo nascimento, mas pela maneira de se relacionar.

Apenas nesse sentido posso concordar com os gregos. O lugar e a função de alguém no mundo, na vida, são apenas dele.

Dois corpos não podem ocupar o mesmo lugar no mundo, pelas leis da física. Entretanto, quantas inteligências e talentos estão desalinhados pela exclusão, discriminação, preconceito e medo dos fracotes? Pois só os fracos têm medo das competências de outras pessoas e procuram excluí-las do mercado de trabalho.

No cristianismo, Jesus de Nazaré, filho de um carpinteiro, se tornou um grande filósofo, líder religioso e revolucionário das ideias. Questionou os valores e os princípios da sociedade e apresentou uma nova possibilidade de vida sem escravos, sem extermínios, plena de amor e cuidado.

O princípio de Direitos Humanos? Ele queria ser politicamente correto? Ou foi incorreto?

Sei muito pouco do cristianismo, alguns conceitos básicos da infância em uma família católica. Na verdade, sei pouco de quase tudo, um quase nada.

Há dois aspectos principais no budismo: sabedoria e compaixão. Ambos podem ser cultivados.

Sabedoria se manifesta em presença pura – estar absoluta e completamente presente no instante em que estamos, sem expectativas do que será e sem angústias pelo que passou.

Presente no presente.

E o melhor presente que podemos dar a alguém é a nossa presença pura.

Quando falamos agora, presente, já passou. A ampulheta do tempo é implacável.

Ao aguardar o momento seguinte, mal percebo que ele passa e se vai.

Somos o tempo. E por ser a existência o próprio tempo, podemos apreciar a vida assim como é. Planejando, construindo, desconstruindo, fazendo e refazendo a cada instante. A isso chamo apreciar a vida.

Urge, sem pressa, viver.

Nono dia

Medo

CLÓVIS

Eu contei uma a uma. Foram seis. Seis badaladas num magnífico sino. Que nos indicam seis horas da manhã. Hora de trazer inspiração para o nosso despertar.

Todos sentem medo. Nós também sentimos medo. Temos consciência da sua causa. Já que ela está na consciência. Mas nem sempre temos consciência do afeto. Da sensação. Algo do tipo "estou com medo de que ...". Nem sempre há esse recuo. A mente se deixa preencher pelo mundo que amedronta. "Meu chefe me detesta e vai me demitir." Você resgata na alma todas as ocasiões em que esse desapreço se verificou. Fica lembrando cada olhar, cada advertência, cada bronca. Sente muito medo, mas não dá nome aos bois.

Em suma. Na sua vida afetiva, você tem medo com a consciência do que lhe dá causa. Pode ter consciência do afeto e identificar o medo em você. Tudo isso é no calor da própria vida. Mas nada o impede de ir além. E refletir sobre o medo de qualquer um. Qualquer medo. Não só o seu. Do que se trata exatamente. Em que tipo de afeto consiste. Quais as suas consequências.

Você já pensou sobre o medo dessa maneira? Na filosofia, muitos chamam de temor. Mas fiquemos com medo mesmo.

Você então diz.

– Se essa reflexão filosófica me ajudar a não sentir medo, estou dentro.

Vixe. Não posso prometer. De jeito nenhum. Faz parte da vida. Mas você tem razão. Melhor não sentir. Estamos de acordo. Agradável não é.

* * *

Mas do que exatamente temos medo?

Você dirá que a lista é grande.

Não temos pressa, uai! Vamos a ela. Não precisamos exaurir. Só exemplos mesmo. Quem sabe tiramos algo deles. Podemos começar?

Primeiro. Do céu.

– Clóvis. Não importa onde esteja, o quão escondido ou solitário pense estar, tenha certeza de uma coisa: Deus está vendo tudo.

Essa frase me foi repetida – com uma ou outra discreta alteração – algumas dezenas de vezes.

Segundo. Do inferno.

Ariano Suassuna, no *Auto da Compadecida*, propõe diálogo entre o diabo e Nossa Senhora a respeito da eternidade de Chicó. O primeiro pretende levá-lo diretamente para o inferno. Enquanto a mãe de Jesus sugere uma nova chance.

Terceiro. Do caos.

O Universo – para os gregos – era concebido como finito e ordenado. Com um lugar para cada um dos seus integrantes. Sem falar na função específica que daria sentido às suas vidas. No entanto, depois de Copérnico, Galileu e Newton, passamos de um mundo fechado a um universo infinito. Desprovido de qualquer ordem.

Quarto. Da falta de fé.

Há quem nos prometa a possibilidade de uma vida eterna. Conservando a nossa identidade. Bem como a dos nossos entes mais queridos. Nesse caso, a morte não passaria de uma passagem. A conversão da vida 1 para a vida 2. Mas é preciso acreditar. Confiar. Ter essa certeza. Ainda que nenhuma comprovação empírica venha em socorro.

Mas há quem alerte para outra possibilidade. De a morte ser apenas o fim da vida 1. Sem nenhuma vida 2 à vista. Acabou, acabou mesmo. Com tudo que tem direito.

Quinto. Da finitude.

A finitude nos devasta. Mesmo ante a óbvia assimetria entre as penas da vida e o que dizem lhes equivale. Muitos não querem morrer. Bastam algumas gotas de alegria no fundo do copo para a esperança embriagada despertar a euforia. Mas cada velório nos relembra o caminho. Com os outros sempre na frente. Quando nascemos foi igual. Já tinha uma galera esperando. Com autoridade para dar nome, sobrenome, endereço, língua materna, nacionalidade, nível social e o escambau a quatro.

Sexto. Da eternidade.

Mas a eternidade seria muito pior. Não digo a prometida, em algum paraíso sem dor. Refiro-me a alguma vida sem fim por aqui mesmo. Sobretudo se se tratar de algum privilégio. Tipo Ulisses e a proposta da deslumbrante deusa Calipso para convencê-lo a ficar com ela e não voltar para casa. Leia-se esposa e filhos: eternidade com juventude.

E Ulisses nem tchuns. Agradeceu e vazou. Melhor morrer do que arriscar viver para sempre.

Medo de morrer. Medo de não morrer nunca.

Sétimo. Da clausura.

Quando estamos entre quatro paredes, em espaço limitado de existência, sentimo-nos vulneráveis. Sujeitos a um ataque sem rota de fuga.

Oitavo. Da abertura.

Em contrapartida, quando o espaço é aberto, a imensidão do nada sem fim nos oprime. O pano de fundo de todo fundo é ainda mais fundo. E para além de um horizonte, só mesmo um outro. Tão irritantemente horizontal quanto.

Temos medo de todo ente que supomos dotado de algum poder de extermínio. De tudo que põe em risco o nosso ser. E de todos que não nos são indiferentes. Do que limita o seu perseverar. Que apequena a sua potência. O seu pensar e o seu agir.

* * *

Um dia, não faz muitos anos, uma professora notável – de meus melhores afetos – conversava com Alberto Manguel, tradutor e editor. Ele organizava então uma antologia de contos sobre o medo.

Lembro perfeitamente de sua vasta barba branca. No rosto vermelho, sulcado de rugas, os olhos eram a parte terna e sofredora, e neles se concentrava toda a expressão da fisionomia.

Perguntou-lhe o que ele próprio temia: basta uma noite escura, um ruído insuspeitado – respondeu.

É o medo, afinal. Medo do limite e do infinito. Do ruído e do silêncio. Do ruído no silêncio. E do silêncio no ruído. Do provisório e do definitivo. Do fluxo e da permanência. Do eterno e do fugaz. Do grito e da afonia. Da diarreia e da constipação. Da fome e do empanzinamento. Do outro e de si mesmo.

* * *

O que acontece no medo?

O medo é um afeto. Sensação desagradável. Que tem como causa as coisas que passam pela nossa cabeça. E que nos fazem sentir mal. Reduzem nosso tesão de viver.

O medo tem como causa apenas a nossa imaginação, e não a realidade efetivamente percebida.

E não qualquer imaginação. A lembrança imaginada de uma ocorrência devastadora vivida há anos não desperta medo. Só há medo quando pensamos sobre o que está por vir. E, portanto, ignoramos.

E se você disser que temos medo de uma notícia a respeito de um desastre que já aconteceu, eu parabenizo sua astúcia. Mas, nesse caso, o medo continua sendo do incerto, do que a notícia anunciará, do futuro, portanto.

Imagina só se eu ficar doente. Isso seria muito ruim. Porque não poderia trabalhar. Neste instante, não estou doente.

Mas posso ter medo de adoecer. Afeto produzido por imaginação a respeito do que pode vir a ser.

Da mesma forma, se eu for demitido, não terei salário. E sem salário não poderei sustentar minha família. Não fui demitido ainda. Mas posso ter medo da demissão.

Durante as férias, num safári, surge um animal feroz. Um leão. Você tem muito medo. De quê? Do leão? Não exatamente. O medo tem por causa a cogitação sobre o que ele pode vir a fazer com você. Aquilo que você imagina que possa acontecer num eventual desentendimento. Mas, por enquanto, o bicho só olha para você.

O medo, como sempre, fica por sua conta.

Mas e se ele morder você???

Bem. Aí o bicho pega. A dor entra no lugar. E que dor!

Mas e se, enquanto ele estiver me atacando, eu continuar com medo. Além da dor.

Bem. Nesse caso, o que você teme é o que você acha que ele ainda possa fazer com você na sequência. Quase sempre a dor sentida vem acompanhada do medo da sua continuidade ou intensificação.

* * *

Como eliminar o medo? Ou, ao menos, diminuí-lo?

Ora, se o medo advém da imaginação a respeito do que não sabemos, a redução das incertezas o reduziria, certamente.

O problema é que boa parte dessas incertezas não é eliminável, por aludir ao futuro, a um real que ainda se realizará.

Mas não vou deixar você assim. Na mão.

Vale a pena lembrar do que dissemos nas manhãs anteriores. Se estivermos em total harmonia com o Cosmos, a vida vivida no instante descartará todas as outras que não estamos vivendo. Se a plena integração nos garante uma plenitude de alma, nela não cabem vidas paralelas. Tampouco o passado e o futuro. Ora, pense comigo. Se você não antecipa o que pode vir a acontecer – que é o futuro –, a causa do medo está comprometida.

Na vida plena, a própria morte não aparece. Na convivência plena em família, a morte dos entes queridos nem passa pela cabeça. No trabalho pleno, a demissão não faz parte. Claro que tudo isso pode vir a acontecer. Porque tudo pode acontecer. E, no caso da morte, acontecerá. Mas não amedronta por antecipação.

Sem medo você sente que a sorte está com você, jogando com os duendes e protegendo seu caminho, fazendo a cada passo o melhor do vivido, melhor viver sem medo. Frases extraídas de uma bela canção de uma belíssima cantora espanhola, Rossana.

Com efeito. O sol se põe, e você não se deu conta. Na leitura plena do *Vermelho e o Negro*, de Stendhal. Não há como ter medo quando cem por cento da sua mente está ocupada com a vida que tem bem diante de você. No mundo em que agora você se encontra.

Será possível viver sempre assim? A *top* o tempo todo, focado na mamona. Será vivível tanta intensidade o tempo todo?

Não sei. Por isso, quando falamos sobre eliminar o medo, eu disse que achava que fazia parte. Porque, se nesses minutos de despertar, estou duzentos por cento capturado pela atividade, em breve esse vídeo chegará ao final. A intensidade baixará. E o medo entra por debaixo da porta. Como o odor de cebola e alho.

* * *

Meus amigos são os mentirosos mais convictos. Um deles, comovido, passa a me narrar a seguinte história:

– Clóvis, não estou fazendo piada quando digo que vi um homem liberto de todos os males, principalmente de si mesmo, em um bar de Copacabana.

Sem religião, sem ideologia e sem ácido lisérgico, ele se libertava, vamos dizer, na raça e no peito. O homem estava bêbado e debruçado sobre a mesa de mármore. De repente levantou a cabeça – repare bem na perfeição da síntese – e disse a fabulosa mensagem: "Eu estou preparado! Para a miséria, a burrice, a dor de dente e o câncer"!

Mentira ou não, a inspiração está aí. Despertemos para ela. Afinal, esse medo que tanto aterroriza, que tanto faz mal, resulta de um espaço na mente que poderia não haver se você e eu déssemos uma chance e nos entregássemos de corpo e alma à vida que estamos vivendo.

Certa vez conheci uma aeromoça tão bonita, e fiquei pensando, acrófobo, se ela não teria, no fundo, uma ponta de medo... Descobri que estava fazendo trabalho de escritório, proibida de voar por motivos de saúde. Ela então me disse que, apesar de desejar uma vida sólida cá embaixo, e de temer pelos filhos, gostava de estar lá em cima com suas irmãs, sobre a plataforma das nuvens, caminhando.

De fato, comissária no escritório dá mesmo a ideia de um marinheiro que vi doente, uma vez, no Rio. No hospital, com a mão em pala sobre os olhos, olhando sempre para fora, à espera de um navio que atracasse, quem sabe, entre as árvores.

Alguém já disse que o medo, como a fome, o instinto amoroso, o sentido da beleza, constituem prendas inalienáveis da humanidade.

Talvez, com ele, afinal, tenhamos que edificar a vida, e mesmo nossa coragem.

MONJA

Presença pura é sabedoria.

Estar aqui, agora. Perceber os afetos: temor, esperança...

Que bonito.

Nunca os chamaria de afetos. Preciso estudar.

No budismo há *nãoalma – anatman.*

Característica essencial – a alma traz em si a ideia de algo fixo, permanente, constante.

No céu ou no mundo das almas, como explica o pensamento dos gregos pelo professor Clóvis, estão todas esperando por cair e nascer em um corpo humano.

Odiando ser humano e só esperando morrer. Que esquisito.

Buda fala de *nãoalma – anatman.* O pensamento tradicional hindu considerava o centro do ser humano o *atman*, a alma. Buda nega o pensamento comum, coloca a partícula negativa antes da palavra *atman* – alma –, e insiste que não há nenhuma essência fixa ou permanente, imutável, independente.

Nada surge por si só.

Nada tem uma autoidentidade substancial independente ou separada.

Somos a vida da Terra. Somos o todo manifesto. Não somos parte. Somos o todo. E somos mantidos vivos por tudo que existe.

Planos superiores de consciência inferiores do corpo?

Todo o corpo é sabedoria. Cada molécula, cada átomo.

Haja vista o coronavírus – uma molécula de proteína, coroada de gordura, procurando hospedeiros novos.

Causando. Isso é que é "causar" no mundo todo. *Viralizar.*

Todos falam tanto em viralizar. Aí está. Não é bonito nem bom... Principalmente se o vírus for danoso. Há muitos vírus danosos, de raivas, atritos, inconsequências, conflitos.

Cada partícula do Cosmos contém todo o Cosmos.

Há caos, sem plural.

Somos a vida. Essa vida sofrida, amedrontada, cansada, aflita.

A mesma vida realizada, alegre, corajosa e livre.

Despertar inspirado é acordar mesmo, acordar de verdade, expandir a consciência, a razão – o que para Platão seria a alma, o mundo sem forma e sem desejo –, deixar ser, apreciar o seu manifestar. *Interser* no grande despertar da humanidade.

Alfa, beta, gama e delta? Estamos aprisionados em um nome, em um quadrado?

Admirável mundo novo, ou não?

O incrível é que é possível saltar de um para outro.

Transmutar. Alfa em matemática, beta em francês, gama em literatura e delta em relações amorosas... Imagine ser alfa em tudo o tempo todo!

Quem for delta sabe que é delta e se importa em ser delta, ou se alegra na sua *deltisse.* Afinal, é só o que conhece.

Se ficasse triste, desanimado, tomaria um remédio, uma droga, uma dose de soma?

Quando notamos que não há nada a perder e nada a ganhar, mudamos.

Somos o que somos. E o que somos é transitório, passageiro, como uma pipa voando na linha de quem a sabe levantar.

Um ser iluminado é um ser que despertou, que vive bem, que atravessa o oceano de nascimento, velhice, doença e morte com sabedoria e ternura. Não se afoga – mesmo que esteja sem barco. Chora, ri, fica triste e alegre. Vive livremente.

Torna-se a ponte, torna-se o veículo, a estrada, as pedras para que todos atravessem.

Coisas da vida...

Décimo dia

Esperança

CLÓVIS

Calma! Ainda não soou a última. Agora, sim. Podemos começar. São seis da manhã.

Décimo despertar. Décima inspiração. Refletir sobre a vida todas as manhãs. Trazer para a consciência o que sentimos. Do jeito que dá. Afeto aos pedaços. Porque, na hora de viver, vem de tudo. Junto e misturado. Aí você já sabe. É um deus nos acuda.

* * *

Já tive menos idade. E algo resgato dessa vida com a alma em memória. Destaque para o tédio. O enfado. Uma espécie de saco cheio com duração de sirene de presídio. Nada que me ocorresse no espírito justificava um deslocamento. Quanto mais um projeto. Dar início ao que quer que fosse era rapidamente substituído pela inércia de quem nada pretende realizar.

Hoje, idade não falta. Observo a própria vida na estrita concomitância. Os tempos são outros. E não me refiro ao mundo, que, sem dúvida, já não é o mesmo. Falo da alma mesmo. Dos intervalos sentidos. Das durações esticadas e encolhidas pelos afetos em senoide.

Pois bem. Nesses dias que correm, os projetos borbulham na mente. Em ritmo que dobra o exequível. Excitação de insônia e tudo. Enfado zero. Tédio confinado no pretérito mais-que-imperfeito. Nostalgia de quando tinha uma vida inteira pela frente. E lamento pela potência circulando na pia e escoando pelo ralo. Hoje dou início a muito mais coisas do que poderei concluir.

Então eu penso. Na juventude, sentia-me velho. Ou talvez o fosse de verdade. Enquanto agora, na velhice, sinto-me jovem. Ou, quem sabe, tenha mesmo rejuvenescido. Porque juventude e velhice são menos uma questão de calendário e mais de postura diante da vida.

Na pequena idade, o fim – mais distante – foi muitas vezes desejado. Já com os anos corridos, o fim – mais próximo – é resistido com bravura e tenacidade. O jovem que sou na velhice tem fé e coragem. O velho que fui na juventude tinha dúvidas e medo.

* * *

Deixamos o temor pra trás. Intuímos que ele nos acompanhará. Porque o espírito irrequieto vai fuçar alhures e algures. Em outros espaços e tempos. Ainda mais quando a vida de domingo de manhã é vivida naquela loja de construção, tendo que decidir sobre o piso do banheiro. O cenário é mais que propício para imaginar mundos temerários.

A mente escapa da coleira e, com jeito de vira-lata, volta com o rabo abanando e um rato morto na boca. Entre um porcelanato cinza e mais liso ou creme e mais rugoso. Galope da imaginação, com o coração na boca e língua de fora. E retorna – em suposição embasada – com aquela ocorrência que você mais temia. A que menos poderia ocorrer. Demissão na quarentena. Avô amado com Covid. Torcida do rival comemorando o título.

Comigo parece concordar Drummond. Só que ele é o poeta. Ele diz lindamente: "Fomos educados para o medo. Cheiramos flores de medo. Vestimos panos de medo. De medo vermelhos rios vadeamos".

No entanto, nem sempre o rescaldo da aventura é tão desagradável. A bolinha verde-samambaia da esperança, encontrada por acaso na calçada, conseguiu entretê-lo ali mesmo. Enquanto o corpo finge analisar torneiras.

A vida imaginada agora é tudo de bom. Com ocorrências mais que bem-vindas. Promoção. Imunidade. E volta olímpica com a taça na mão. Viva a bolinha verde-samambaia. Que arranca o espírito das mãos do devastador.

Quando a mente traz coisa boa, que nos põe pra cima, sentimos esperança. Afeto invertido do medo.

* * *

Esperar. Podemos esperar com muita certeza que o que estamos esperando ocorrerá. Como pôr do sol.

Em inglês, *to wait. To wait for. To wait for something. To wait for someone. Attendre* em francês. *Aspettare* em italiano. Todos correspondem a esperar no sentido de aguardar. Por uma ocorrência de que não se duvida.

Pela esposa para almoçar. Pelo quinto dia do mês. Pela sexta badalada. Pelo missa de sétimo dia. Pela oitava rodada do campeonato. Pela boia que está demorando a cozinhar. Pelo carteiro. Pelo fim da garoa. Pelos 18 anos.

Entretanto, nem sempre há tanta certeza. Esperar sem saber direito o que vai acontecer. Nesse caso, nossa espera não passa de uma torcida. Uma espera esperançosa. Por algo que apenas desejamos. Que gostaríamos muito que se produzisse. Mas que não sabemos se vai rolar.

Em inglês, esse esperar é "*to hope*". *To hope for. Espérer* em francês. *Sperare* em italiano. Diferente de "*to wait*". Ninguém tem esperança daquilo que considera óbvio. Uma frase como "Eu tenho esperança de que o sol se ponha" é estranha. Absurda.

"*To hope*" tem por objeto aquilo que pode acontecer. Mas que também pode não acontecer. A incerteza entra em cena. Espero vender meu carro nesta feira. Encontrar meu primo por lá. Que Jurema se apaixone por mim. Dobrar meu faturamento. Morrer com mais de 80. Que meu time vença. Dormir oito horas seguidas.

* * *

Na história do pensamento, a palavra "esperança" indica duas realidades muito diferentes. De um lado, um sentimento, uma paixão, uma emoção. De outro, uma virtude. Ligada à ideia de dever.

Etimologia é o estudo da origem e da história das palavras. Ela lhes confere humanidade. Conta-nos onde nasceram e por quais bocas passaram. A raiz grega da palavra esperança corresponde no latim à raiz das palavras vontade, voluntário e desejo.

A origem da palavra esperança nos aponta, portanto, para o sentido de emoção, de sentimento. Trata-se um tipo de desejo. Sem ele, o homem não se move. Não se levanta. Não se movimenta.

* * *

Para Aristóteles, a esperança não pode ser subtraída da existência humana. Por ser uma abertura para o futuro. Para o que não é ainda. Para o que está por vir. Uma inclinação para o vir a ser. Para o que poderia ser. Para o que gostaríamos que fosse. Um desafogo ante um imediato asfixiante.

Essa inclinação para o futuro aproxima o esperar de "ter esperança" do esperar de simplesmente "aguardar". Por isso, quem espera (*hope*) também acaba tendo que esperar (*wait*). Já o contrário pode não se verificar. Porque a certeza de quem apenas aguarda exclui a incerteza de quem tem esperança.

Se você está na sala de espera do consultório – com hora marcada –, apenas aguarda para ser atendido. Apenas uma questão de tempo. A incerteza se reduz a mais ou menos minutos de aguardo. Agora, se você está na mesma sala de espera –, mas só será atendido em caso de desistência de algum paciente com hora marcada –, aí você espera e espera. Espera pelo quando, mas antes espera para ver se.

* * *

Por isso, essa última espera – a de ter esperança –, que só vibra na incerteza a respeito do esperado, cobra do homem uma potente atividade imaginativa. Em contrapartida, o mero aguardo não dá nem pro cheiro na hora de fomentar a criatividade.

Em termos de imaginação, quem aguarda – quando muito – contrasta o vazio do prato vazio com o prato cheio aguardado. O vazio do ônibus no ponto com o ônibus se aproximando. O vazio de ponteiros naquela hora e o gongo imaginário anunciando o momento aguardado.

Como dissemos, entre a imaginação e a percepção do mundo imaginado, é só uma questão de tempo.

Bem diferente é o caso de quem tem esperança. Esse ignora a superveniência da ocorrência esperada. Não sabe se o mundo esperado ganhará materialidade fora da mente. Vê-se obrigado a ajustar suas esperanças aos indícios de realidade que vão aos poucos se apresentando. A esperança de que o filho – acidentado de moto – sobreviva se reconfigura a cada boletim médico. A cada nova intuição. Aos ditos e não ditos em cada encontro.

Ao nos remeter ao que não se encontra, ou não se encontra ainda, a esperança faz mesmo pensar num sonho acordado. Outra proposição de Aristóteles. Uma imaginação que nos procura algum prazer. Tal como a lembrança de um ou outro instante do passado também pode se tornar prazerosa.

Como todo desejo – que honra as calças que veste –, a esperança mira o prazer e termina nele.

Tanto quanto o temor, a esperança é afeto determinado pela imaginação. A diferença entre ambos é que, enquanto no temor a pessoa se sente mal, na esperança ela se sente bem. Mas, em ambos os casos, o mundo ainda não está lá.

Ela imaginaria, por exemplo, "se eu for promovido, ganharei mais e darei melhores condições de vida para a minha família". "Se eu puder viajar, terei boas experiências e, então, proporcionarei a mim mesmo e à minha família experiências alegradoras."

"Se, se, se..."

Esse encadeamento de bons pensamentos contempla coisas que ainda não integram a nossa realidade. Mas que poderiam nos fazer bem. Trazer um alento. Um sopro de bem viver.

* * *

Você poderia perguntar:

– Quando a mente imagina seja lá o que for, ela não se encontra completamente preenchida pela percepção imediata do mundo. Ou pela atividade imediatamente realizada. Ainda assim, por representar um bálsamo, a esperança integra uma vida boa? Um afeto que vale a pena sentir?

Depende de quem for responder a você.

Para Aristóteles, como vimos, a esperança integra o lado bom da vida. Ao menos no que está claramente exposto na *Retórica.*

No entanto, para os pensadores estoicos que lhe seguiram, é outra história. Filósofos como Sêneca e Marco Aurélio dirão mais ou menos o contrário. Para estes, a vida conta com dois grandes males. O passado e o futuro. Isto é, quando desfocamos a mente para lembrar o que passou ou para antecipar o que não vivemos ainda.

Ora. A esperança é um afeto determinado pelo futuro. Pelas antecipações que fazemos. Por conjecturas sobre o devir. Resulta, portanto, de uma falta. Remete o espírito para o que falta e faz falta. Não há, portanto, por definição, a presença do mundo esperado e desejado. Trata-se de um afeto em carência.

Além da falta – pobremente preenchida pelo mundo imaginado –, toda esperança implica ignorância. Ignorância a respeito do que esperamos. Ao menos esta de que estamos falando, *hope*. Havendo certeza, ou ciência da ocorrência esperada, não há esperança. Há, no máximo, um aguardar – *to wait*.

Finalmente, para além da carência e da ignorância, toda esperança se origina na impotência. Com efeito. Se pudéssemos nós mesmos fazer advir o que esperamos que aconteça, não esperaríamos. Faríamos acontecer nós mesmos de uma vez. Quem permanece no desejo, na falta e na ignorância é porque não pode, no sentido de força, fazer a hora, e tem que esperar acontecer, como cantava o poeta.

* * *

Bem. Não temos que concordar nem com Aristóteles nem com os estoicos.

Pessoalmente, vivo muito na esperança. Pensando em coisas boas que possam acontecer a mim e às pessoas que eu amo. Não vejo nenhum problema nisso. Quanto à carência, a ignorância e a impotência, plenamente de acordo. Se pudesse, acabava já com toda falta que se alimenta das minhas incertezas e me aniquila.

Ainda assim, prefiro a esperança. De que meus filhos continuem me amando. De encontrar amiúde meus amigos. De não sofrer muito antes de morrer. De não passar calor. De não cometer injustiças. De não me tornar mesquinho. De me dispor a diminuir o sofrimento de quem quer que seja. De viver muito. De vida eterna em paz.

E, comigo, tantas personagens lindas da literatura. Que esperam por uma pérola, e logo por outra...

* * *

Leio que, dentro do pacote de açúcar, Renata encontrou uma pérola. A pérola era evidentemente para Renata, que sempre desejou ter um colar de pérolas, mas a profissão de doceira não dava para isso.

– Agora vou esperar que cheguem outras pérolas – disse Renata, confiante. E ativou a fabricação de doces, para esvaziar mais pacotes de açúcar.

Os clientes queixavam-se de que os doces de Renata estavam demasiado doces, e muitos devolviam as encomendas. Por que não aparecia outra pérola? Renata deixou de ser doceira qualificada, e ultimamente só fazia arroz-doce. Muito doce. Envelheceu.

A menina que provou o arroz-doce, naquele dia, quase já ia quebrando o dente, ao mastigar um pedaço encaroçado. O caroço era uma pérola. A mãe não quis devolvê-la a Renata, e disse:

– Quem sabe não aparecerão outras, e farei com elas um colar de pérolas? Vou encomendar arroz-doce toda semana.

Seria melhor a alegria de viver tudo isso de verdade? Claro que sim.

Mas seria muito pior o temor. Sofrer pensando na possibilidade da ocorrência do contrário de tudo que faz bem.

E, pior ainda, a tristeza. De verificar que nada do que esperávamos se realizou.

Ah! Tem outra. A esperança é sempre provisória. Porque um dia a realidade chega. Para o bem ou para o mal. Tem hora marcada para virar alegria. Ou tristeza. E, mesmo na plenitude da eternidade, não há mais o que esperar. Tampouco por que esperar. Agora, tudo já é.

Este foi o nosso décimo despertar. Fim da segunda semana juntos. Que tenha proporcionado inspiração para a sua vida. Não se trata sempre de ouvir o que já sabemos. Ou o que estamos querendo ouvir. Uma gota de surpresa, de ruptura, de inesperado é condição de toda fragrância sedutora.

* * *

MONJA

Presença pura é sabedoria, é tornar-se o caminho, é perceber a harmonia, é tornar-se a harmonia.

Tudo está em harmonia, mesmo o desvio, a falta; o ques-tionamento sobre haver ou não harmonia ainda é a grande harmonia. Isso só pode ser percebido por quem desperta, por quem sai da caverna, deixa de ver apenas as sombras e vê a realidade.

Prática é realização, dizia Mestre Dogen. A prática não nos leva depois de um tempo a realizar. O questionar, o procurar, o pensar já é a resposta, o pensamento, o encontro.

Podemos perceber os desvios, as curvas do caminho, as armadilhas. Desarmar as armadilhas é mais importante do que saltar por cima delas.

Estar absolutamente presente.

Adorei!

Sem temor e sem esperança.

InterSer.

Perceber que estamos interconectados a tudo e a todos.

Coexistimos, e neste instante tudo é exatamente como é. Mas nada é fixo. Tudo flui, tudo se transforma. O corpo, o mundo, a mente. Como fala o XVI Dalai Lama: "A mente é incessante e luminosa". Sem expectativas, sem remorsos, sem ficar presa ao passado nem ansiar pelo futuro, sem medo e sem esperança, este momento de agora é completo, e aqui encontro-me presente. Assim como é.

Décimo primeiro dia

Alma

CLÓVIS

No alarme Toshiba desta manhã, a potência estava particularmente baixa. Fora a sonolência. Só mesmo uma ducha fria para recompor. Como essa atividade não estava prevista, tive que acelerar. Deu tempo. Escute as badaladas. Logo após a última, podemos começar.

* * *

– A alma do homem é o único pássaro que carrega com ele a sua gaiola.

A frase é de Victor Hugo. Não haveria de ser minha, óbvio. Além da força poética, traz com ela pensamento poderoso.

Na mesma linha – de uma alma dona do seu corpo – a estupenda Simone encantava, na primeira metade da década de 80 do século passado.

– A minha alma tem um corpo moreno nem sempre sereno nem sempre explosão; feliz esta alma que vive comigo que vai onde eu sigo o meu coração.

* * *

Platão de novo. Não tem outro jeito. Gostando ou não. Você lembra. Já falamos dele. E do "Livro VII" da *República*. A famosa alegoria da caverna.

Dentro dela havia um monte de gente acorrentada. Só um deles conseguiu se soltar. Como um pássaro que carrega a própria gaiola, a alma, insatisfeita com o espetáculo cavernoso, arrastou para fora o corpo relutante.

Ao encontrar a luz, enfrentou grande desconforto, habituado que estava com o escuro de dentro.

Após um desagradável período de adaptação, começou a entender uma coisa. Aquilo que ele – ao longo de toda a vida – via no fundo da caverna não era propriamente a realidade. Parecia ser. Mas não era. Tinha só aparência.

* * *

Saindo da caverna, foi possível fazer uma constatação maravilhosa. Para cada sombra flagrada na parede do fundo, lá dentro da caverna, há uma "outra realidade" do lado de fora que lhe corresponde.

Pegue, por favor, um abajur qualquer. Aproxime-o de uma parede. Ponha sua mão entre um e outro. Agora, além da sua mão, você vê a sombra dessa mão projetada. Surgem duas mãos. A mão 1 e a mão 2.

A mão 1 é de carne e osso. Parte do seu corpo.

A mão 2 não passa de um contraste entre a parede toda iluminada e o pequeno pedaço cheio de dedos, não atingido pela luz pela presença da mão 1. Essa recebeu a luz, no lugar da parede.

A mão 2 é sombra. E sombra é assim mesmo. Sombreada. Meio escura. E de contornos imprecisos. Se você afastar ou aproximar o abajur, ou mesmo a sua mão, essa sombra vai mudar de tamanho e de nitidez. Não há, portanto, correspondência rigorosa entre uma e outra.

Mas, claro, mesmo não havendo correspondência rigorosa, essa sombra tem a ver com a sua mão. Você distingue os cinco dedos. Tem a palma. Há algo em comum. Não são realidades sem nenhuma ligação.

* * *

Ele, então, voltou para a caverna. Teve dificuldade para enxergar. Precisou se readaptar. Reencontrou seus antigos companheiros. E lhes relatou o que havia descoberto.

– Existe outro mundo. Do lado de fora daqui. E nesse outro mundo estão os seres cujas sombras são projetadas nesta parede.

A boa-nova não foi acolhida como tal. E seu porta-voz foi hostilizado.

* * *

Cada detalhe dessa alegoria corresponde a outra coisa por ele simbolizada. Aliás, alegoria é isso mesmo.

Assim, o interior da caverna corresponde ao mundo das coisas sensíveis. Onde estão os nossos corpos e o resto. Fora da caverna corresponde ao mundo das ideias. Onde estão as formas perfeitas, eidos.

Os moradores da caverna, acorrentados, não sabem da existência das ideias. E tomam as sombras, coisas sensíveis, pelo real. Suas crenças e convicções correspondem ao senso comum.

A hostilidade – de que nosso herói foi vítima – indica o quanto a busca da verdade era estranha aos cidadãos de Atenas. O quanto lhes era perturbadora a mera sugestão dessa possibilidade. Indica também o quanto eram apegados às suas convicções. Bem como a intolerância a toda confrontação.

* * *

Platão não via com bons olhos a maneira como os atenienses tomavam decisões a respeito dos assuntos que diziam respeito à *polis*. O voto da maioria – residentes no interior da caverna – lhe conferia a prerrogativa de definir as leis da cidade.

Dessa forma, as decisões mais importantes eram tomadas por pessoas desqualificadas para tomá-las. Incapazes de distinguir aparências de essências. E, portanto, facilmente influenciáveis.

* * *

Alguns oradores, particularmente hábeis em manipular seus auditórios com discursos persuasivos, acabavam tendo grande influência e poder nesse tipo de sistema decisório.

Estamos falando dos sofistas.

São os campeões da Ágora. Os vencedores dos grandes debates públicos. Usam a retórica com contundência e eficácia. Arrancam aplausos. Comovem e fazem chorar. Trazem para o auditório. Arrebanham. E convertem, com facilidade, seu ponto de vista em opinião dominante.

Para Platão, embora tivessem grande eficácia na sensibilização de seus ouvintes, mobilizando as massas e conseguindo com isso vitórias políticas, eles não diziam a verdade.

Já citei aqui o poeta Drummond. Hoje, revendo esse meu texto, lembro-me do seu aniversário, 31 de outubro. Para os jovens que me leem, quero dizer que ele foi nosso maior poeta. E que se parecia muito com Machado de Assis, a quem também homenageio nestas páginas.

Os dois carregavam a mesma reserva, a mesma ironia. O mesmo humor, a mesma dignidade pessoal. Eram ambos burocratas perfeitos, o que não se confunde com o "perfeito burocrata".

Esses homens, magros e reticentes, foram monstros de energia na luta contra o subdesenvolvimento intelectual; e de Drummond, a propósito do Platão e seus sofistas, relembro um trecho dos mais poderosos.

Diz ele:

A porta da verdade estava aberta, mas só deixavam passar meia pessoa de cada vez.

Assim não era possível atingir toda a verdade, porque a meia pessoa que entrava só conseguia o perfil da meia verdade.

E sua segunda metade voltava igualmente com o mesmo perfil, e os meios perfis não coincidam.

Arrebentaram a porta. Derrubaram a porta. Chegaram ao lugar luminoso onde a verdade esplendia os seus fogos.

Era dividida em duas metades, diferentes uma da outra.

Chegou-se a discutir qual metade era mais bela. Era preciso optar.

Cada um optou conforme seu capricho, sua ilusão, sua miopia.

Pois é, meus amigos, assim pensavam os sofistas.

* * *

Consideravam que não há uma só verdade, mas muitas possíveis. Em função da sociedade, da história, do ponto de vista. Eram viajados. E argumentavam que o que era tido como justo em um lugar não o era em outro. E que, portanto, a justiça é relativa.

O importante para eles era usar o discurso para conquistar e exercer certo poder.

Por isso, os diálogos de Platão quase todos contrapõem o filósofo que procura a verdade e o sofista que foca em resultados.

– O que poderia valer mais do que triunfar na Ágora a qualquer preço?

A pergunta é excelente. E nos remete ao que podemos entender por vida de sucesso.

* * *

A alma é, para Platão, o grande barato da vida do homem. Por isso, a melhor vida possível é por ela regida. O jeito mais fácil de começar a entender essa afirmação é pela sua contrária. Para Platão, a pior vida possível é a regida pelo corpo. Isto é, pelos seus apetites, inclinações, carências e fricotes.

Platão dividia a alma em três partes em função das suas atividades. Não sendo material – não tendo, portanto, nenhuma extensão –, a sua representação na nossa mente fica comprometida.

A parte superior da alma é pensante. Responsável por todas as articulações intelectivas. Por tudo que passa na cabeça. Ou vem à mente. Por exemplo: é ela que resolvia os problemas de matemática na prova da escola. E errava quase sempre. Ao menos no meu caso.

– O que mais?

Vixe! Tanta coisa.

Lembra quando o irmão do seu namorado – que você sempre achou bem gato – admitiu ter por você alguma atração? E lhe pediu um beijo sem compromisso. Então. Você recusou com veemência. Olha a parte superior da alma dando as cartas. Afinal, não era justo. Aproveitar-se de uma ducha rápida para uma bitoquinha que ia terminar num amasso voluptuoso.

Só a parte superior da alma pode saber o que é justo. E o que é justiça.

* * *

A parte central da alma é responsável pela indignação. Pelo enfrentamento. Pela mobilização de recursos com vistas à defesa de um ponto de vista.

Observe. A produção do argumento é prerrogativa da parte superior. Da alma pensante. Essa parte central mobiliza o ímpeto, a imposição, a empostação, a disposição, o fervor, o fulgor etc. Seu maior tesouro é a virtude da coragem.

Essa parte é inferior a primeira. Em caso de conflito, deve a ela se submeter. Do contrário haveria desgoverno. Vida regida por impulsos. A indignação e seus correlatos têm limites. Todos eles definidos pela lucidez. Pela razão. Pela parte superior. A cabine de comando.

Você se lembra de dias atrás, quando falávamos do Desafio de Aristóteles ao príncipe Alexandre. Zangar-se qualquer um se zanga. Agora, é preciso zangar-se pelo motivo certo, do jeito certo, nos limites adequados e tudo mais. E tudo isso quem fornece é o andar de cima.

A parte inferior da alma faz existir e traz à luz os apetites, as sensações, os desejos e assim por diante.

Essa então só deve se manifestar quando expressamente autorizada pelas duas outras. Em estrita observância de uma hierarquia. Que requer a primazia das atividades relacionadas à parte superior da alma frente às demais.

Dessa forma, sensações, desejos e apetites, tanto quanto a nossa coragem, devem estar sempre a serviço e submetidos à inteligência, à razão.

* * *

Alguém poderia perguntar:

– E uma cidade, a *polis*, quando ela é justa?

Platão propôs um paralelo entre as partes da alma de um indivíduo e os diversos níveis da *polis*.

A cidade terá pensadores, gente com alma mais propensa à reflexão. Esses deverão ocupar o topo da pirâmide. Encarregados de governar a cidade, legislar, definir suas normas.

Já os corajosos, os destemidos, aqueles de coração forte, deverão ser alocados para proteger os muros da cidade, guerreando em seu nome.

Quanto aos demais, deverão estar na condição de servos, artesãos e escravos. Alocados para atividades de natureza manual, braçal ou corporal. Também importantes para que a *polis* e suas pessoas possam comer, vestir-se, calçar-se etc.

– O que seria, então, uma sociedade injusta?

Uma sociedade é injusta quando seus integrantes ocupam lugares que lhes são indevidos. Vivem deslocados. Fora do seu lugar. Desalinhados com a sua natureza.

Um guerreiro de coração destemido e corajoso que legisla. Que governa. Um fino pensador que ganha a vida carpindo. Um covarde que defende os muros da cidade. Ocupam lugares indevidos.

A cidade justa é a cidade que, com sabedoria, coloca cada um, com sua natureza, aptidões e talentos, no seu devido lugar. Torna-se, assim, um microcosmo. Uma imitação do Cosmos e da sua hierarquia.

Tanto quanto uma única pessoa que vive justamente, quando está ajustada a essa ordem. A ordem do universo.

* * *

Meu primeiro filho nasceu em 1987. Chama-se Martin. Pois quem conhece a técnica do destino adivinha logo o que encontrei numa reunião de contos do nosso poeta. Uma pequena fábula protagonizada por dois meninos: Clóvis e Martin, escrita mais de uma década antes.

Descobrir essa história foi como compreender que meu filho já tinha enxoval, brinquedo e destino traçado antes mesmo de ser concebido. A mãe e eu não poderíamos nos aperceber que o garoto rodava entre nós como um ser vivo. Quando ele chegou, deu forma a uma realidade que já existia nas páginas de Drummond.

Conta o poeta que "os garotos da rua resolveram brincar de governo, e escolheram o presidente, pedindo-lhe que governasse para o bem de todos. – Pois não – aceitou Martin –, daqui por diante vocês farão meus exercícios escolares, e eu assino. Clóvis e mais dois de vocês formarão a minha segurança. Januário será meu ministro da Fazenda e pagará meu lanche.

– Com que dinheiro? – atalhou Januário.

– Cada um de vocês contribuirá com um cruzeiro por dia para a caixinha do governo.

– E que é que nó lucramos com isto? – perguntaram em coro.

– Lucram a certeza de que têm um bom presidente. Eu separo as brigas, distribuo as tarefas, trato de igual para igual com os professores. Vocês obedecem, democraticamente.

– Assim não vale. O presidente deve ser nosso servidor, ou pelo menos saber que todos somos iguais a ele. Queremos vantagens.

– Eu sou o presidente e não posso ser igual a vocês, que são presididos. Se exigirem coisas de mim serão multados e perderão o direito de participar da minha comitiva nas festas.

Pensam que ser presidente é moleza? Já estou sentindo como este cargo é cheio de espinhos.

Foi deposto Martin, e dissolvida a República".

MONJA

"Sem justiça não há paz."

"Vidas negras importam."

De repente, nas ruas das grandes cidades do mundo e em várias cidades dos Estados Unidos, jovens, crianças, adultos, idosos, pessoas de todas as etnias se juntaram, usando máscaras protetoras contra a contaminação do coronavírus, procurando manter certa distância – quase impossível. Elas gritaram, se ajoelharam, se deitaram de bruços no chão e continuaram se manifestando pela democracia e pela inclusão social. E por menor violência policial.

A pandemia nos fez ver um assassinato, dois, três. Estava em todos os canais de TV, todas as mensagens nas redes sociais. Foi impossível fingir não saber.

Fez ver a pobreza, a falta de água e esgotos, saneamento básico. Não foi possível negar, virar para outro lado. A nossa sensibilidade humana, a empatia, clamou por ações e gestos de solidariedade. Houve quem depredasse, mas isso não tirou a força do movimento. Apenas escancarou as diferenças sociais.

Uma sociedade injusta – foi isso que criamos?

Quem está no lugar errado? Quem não está ocupando o *locus* natural na sociedade?

Teríamos de nos arrepender. Todos nós.

Pelo *karma* (ação repetitiva) prejudicial de não ver, não ouvir, não sentir, não cuidar e nos silenciarmos frente a abusos, pobreza, fome, exclusão.

Justiça depende de decisões justas, acertadas, adequadas.

Escolhas. Quem sabe escolher? Quem vai escolher? Escolher a quem? Na confusão da igualdade perdemos o senso?

Não somos iguais. Somos semelhantes. Mas não iguais.

Nossas necessidades também não são as mesmas.

A inteligência não é uma alma pura, racional, que cai do céu e organiza tudo com justiça. A isso chamo sabedoria, um saber que precisa e deve ser provocado, treinado, usado para o bem coletivo.

Ser guiado pela razão, protegido pelo coração, e o resto obedecendo.

Ora, está tudo vivo. Cada célula, cada molécula é a sabedoria manifesta.

A razão depende do fluxo sanguíneo, da oxigenação do cérebro. Cada órgão no organismo humano é manifestação da sabedoria pura. O corpo não é obstáculo.

O papel social pode ser conquistado, e o destemido, de soldado raso vira rei. Não porque fosse assim determinado pelo Cosmos, mas porque atua e movimenta o Cosmos com a sua presença e as suas mudanças.

Será que podemos nos tornar o que nunca fomos?

Quando um dos sentidos falha, os outros sentidos substituem sua função. Há inúmeras possibilidades, não fixas, não permanentes.

O ignorante se torna um sábio, e a pessoa sábia pode perder a razão. Alzheimer, demência... Nada fixo, nada permanente.

Discordando de Platão?

Décimo segundo dia

Obstáculo

CLÓVIS

Não dormi bem. Noite agitada. Pesadelo pesado. Um meteoro gigante se aproximava da Terra. Nada a fazer. Um pedaço de pedra do tamanho da África. Estimativa dos americanos, que entendem disso. O encontro destruiria o planeta. Nada sobraria. A mancha em Urano aumentava de tamanho rapidamente. E aqui em Gaia, um caos em terror.

Os mais próximos atiravam-me na cara fragmentos de minha estupidez.

De fato, na intimidade da minha consciência, e apenas nela, afirmei, mais de uma vez, quando meteoros eram só figura de linguagem, que, se morrêssemos todos ao mesmo tempo, não haveria luto. E, como a morte seria ruim só para quem fica, morrendo todo mundo junto, alcançaríamos uma cumplicidade inédita.

Se, no imaginário da morte, a solidão da última morada fere de punhal, essa simultaneidade do fim nos poria finalmente em comunhão. Eliminaríamos numa tacada só todo sofrimento, injustiça, dor e devastação.

Mas logo a mancha tampou a luz do sol. E acordei ensopado.

Algumas interpretações engraçadas atravessaram minha mente.

O meteoro era vingança de Urano contra Gaia, que apoiou Cronos na amputação de seu membro.

Outra, ainda mais curiosa.

O sonho era para eu deixar de ser besta. E entender de uma vez por todas que isso de morrer é ruim sempre. Com todo mundo ou sozinho. E que ter a cabeça achatada por uma pedra do tamanho da África – ou morrer antes cozido pelo aumento da temperatura atmosférica – não seria tão legal.

Antes de despertar, deu tempo de ouvir a Natália em ironia impiedosa.

– Vamos poder checar juntos a sua história do Sêneca. Aquela de que nunca encontraremos a morte. Porque, quando estamos, ela não está. E quando ela está, não estamos mais.

Não havia como retomar o sono. Melhor assim. Vai que depois do "*pause*" a cena retoma de onde parou.

* * *

Resolvi compartilhar, porque algumas empáfias da sabedoria são facilmente desmentidas por um simples pijama empapado de suor. Ou ainda todo borrado de medo fedorento.

Fiquei esperando, pronto, vestido e perfilado, pelo alarme do Toshiba. Pensando na melhor maneira de inspirar você. E o fantástico do sonho me fez pensar nas coisas que Ulisses teve que encarar para voltar pra casa. Depois de guerra de Troia.

***

Sexta badalada. Enfim. Vamos em frente.

Na *Odisseia*, de Homero, Ulisses era feliz. Vivia em Ítaca, com Penélope, sua esposa; Telêmaco, seu filho; e súditos. Ali era o seu lugar, a "sua praia". Ele, um líder por natureza, liderando no seu lugar natural. Vida encaixada, vida feliz.

Você estará pensando:

– Esse *cara* não sairá daí nunca mais.

Claro. É tão raro encontrar alguém feliz como cidadão, como pai de família, no trabalho, com os amigos, num lugar que adora. E ainda, no caso dele, rei. Aclamado. Adorado. Exercendo um poder mais do que legítimo, diríamos hoje. Cenário de ficção. Sonho de todos.

Pois é. Mas, como diziam os estoicos, a vida é dividida em dois. O que depende de nós e o que não depende de nós. Um pedaço você arregaça as mangas e faz acontecer. Já o outro, bem, esse é definido por forças que você não controla.

Tipo um meteoro.

* * *

Os gregos entraram em guerra com os troianos. Uma história de chifre. Paris, príncipe de Troia, chavecou com sucesso Helena, mulher de Menelau, rei de Esparta. Olha o enrosco!!! Você lembra. Os espartanos não eram educados para levar desaforo pra casa.

Helena se foi com seu príncipe encantado. Encantado por Afrodite. E Menelau não deixou barato.

– Mas Ulisses não tinha nada com isso!!! – você protesta.

Eu sei. Mas havia um acordo prévio de solidariedade entre os reis gregos. Se qualquer um deles entrasse em guerra contra um estrangeiro, os demais deveriam mobilizar suas tropas e lutar também.

Não deu outra. Nosso herói foi convocado. Ele não queria ir, claro. Mas não teve saída...

Quando Ulisses parte para Troia, deixa seu lugar, "sua praia", seus súditos, sua família, onde tudo é harmônico e encaixado. Partir significa arrancá-lo da vida boa e arremessá-lo no desalento.

Ulisses guerreou por dez anos. Embora estivesse fora de casa, nosso herói não se deixou intimidar pela torcida adversária. Bom de bola, cheio de astúcia.

Lembra-se do Cavalo de Troia?

Os gregos estavam levando uma surra. Mas graças ao rei de Ítaca e sua inventividade, acabaram vencendo a guerra. Os vitoriosos devastaram seus adversários com violência extrema.

Ulisses só pensava em voltar. E você diz:

– Dois ou três dias navegando, cinco dias, quem sabe, e terá chegado em casa. Tudo resolvido. Dez anos de vida ruim, é verdade. Vacas magras. Mas agora tudo terá voltado a ser como antes. Em harmonia com o Cosmos. No seu lugar. O resto da vida em vacas gordas.

Só que não!

No regresso, Ulisses se viu enrolado em várias situações perturbadoras. É a própria *Odisseia*.

* * *

Numa delas, nosso herói fura o olho do ciclope Polifemo. Ciclope. Com tônico no "O". Há quem diga *cíclope*. Como se fosse proparoxítona. Mais importante do que a sílaba tônica é mencionar que o tal do monstrinho só tinha mesmo um olho. Desses no meio da testa, centralizados e grandes.

Bem, você poderá dizer que o azar foi do abelhudo monocular, que resolveu aborrecer Ulisses. Verdade. Não é legal ficar cego. Posso assegurar. Mas não saiu tão barato. O tal Polifemo era filho de Poseidon. Um deus. E não um qualquer, de quinta categoria.

Top five dos mais poderosos. Deus dos mares.

Então pense. Se a vida boa de Ulisses, encaixada no Cosmos, implica voltar para Ítaca, uma ilha, e estando seu aeroporto internacional desativado, resta-lhe chegar por via marítima. E o mar, por onde Ulisses teria que passar, também é natureza. E é deus.

Poderíamos, então, imaginar: a natureza que se manifesta no mar solidária dela mesma que se manifesta em Ulisses. Natureza facilitando natureza, como numa orquestra sinfônica em que os instrumentos se complementam naturalmente.

Só que não!

– De novo?

Pois é. Poseidon era vingativo. Deus vingativo. Mar vingativo. Quem está acostumado a um deus paz e amor estranha, porque esse não deixava barato. E resolveu azucrinar a vida de Ulisses. Não apenas criando maremotos e outras coisas típicas dos oceanos. Poseidon interferia na memória e no sono do herói. Na hora h – quase chegando lá –, sempre dava tudo errado.

* * *

Por vinte anos de sua vida – dez na guerra e mais dez para voltar –, Ulisses viveu lembrando-se de como era boa a vida anterior. E esperando voltar a viver no seu lugar. Vida vivida no passado da nostalgia; e no futuro da esperança. Vida mal vivida, portanto. Num presente fora de lugar. Deslocado. Incapaz de satisfazê-lo. Tampouco de preenchê-lo.

Mesmo para os gregos – que acreditavam num Universo ordenado e harmônico, cheio de tranquilidade, onde nada acontecia fora do previsível – as coisas não eram tão simples assim.

As forças do caos, divindades presas no Hades por Zeus, permaneciam vivas e atuantes. Por intermédio de seus representantes em Gaia, continuavam tentando desordenar a ordem.

Por isso mesmo, havia desarmonia de vez em quando. Natureza atrapalhando natureza. Havia confronto, oposição, conflito, e triunfo de uma sobre outra.

Enfim, havia a possibilidade de viver muito mal.

Quem ainda não leu a *Odisseia*, não perca a oportunidade. É um clássico na história da humanidade. Dos maiores.

* * *

Na vida, as coisas podem parecer amarradas, agarradas, como num rio cheio de curva, por onde a água não flui tranquilamente. E tudo que vem junto enrosca. Seja bem-vindo ao time que vive no mundo onde há vida.

Amar o mundo como ele é exige ressignificar o obstáculo. Retirar-lhe essa pecha bandida.

Trata-se de uma grande oportunidade. Que o digam os palestrantes motivacionais. Uma oportunidade divina, já que Poseidon era deus. De exercitar a mente. Fortalecê-la. E torná-la capaz de enfrentar outros obstáculos. Ainda mais desafiadores.

Quem sabe um dia você se sentirá alegre com o que tem. Com as coisas como elas são. Com o mundo como ele é. Quando estiver seguro de que nada está faltando, pode acreditar, o mundo inteiro será seu.

* * *

Foi na década de 50 que encontraram um principezinho sentado. Com as mãos e a cabeça sobre os joelhos. Dormia. A seu lado, brinquedos esperavam: a boneca de plumas, a lhama, a bolsa contendo pequeninas coisas. O sono era tão mineral que o menino se deixou carregar por dois estranhos, e, se naquela postura estava, naquela postura ficou.

Desceram-no e depositaram-no, com seus objetos, ao pé da escarpa.

Pessoas experimentadas inferiram que ele se perdera na montanha, e adormecera com fome. Outras vislumbraram no rosto semidescoberto uma expressão de medo – como a de um menino que presenciasse bombardeios aéreos –, e sua atitude seria a de quem se protege contra o perigo iminente.

Mas, observando bem, sentia-se a paz daquele sono que a picareta dos homens batendo na rocha viera perturbar. Aquele sono que envolvia todo o menino numa peculiar camada de silêncio, e o tornava indiferente ao desconforto da posição e ao frio da altura.

Sua condição de príncipe ressaltava das vestes e adornos, que eram nobres, e se confirmava no lavor de ouro dos brinquedos. Cingia-o um colar de pérolas; a boneca tinha o ombro traspassado por um grande alfinete de prata.

Alçaram de novo o principezinho e levaram-no para a cidade grande, onde se tornou objeto de pasmo geral. Continua dormindo. Jamais os cinemas espalharam pelo mundo a sua imagem. Mas uma revista o fotografou, sempre dormindo, sempre distante, sempre enrodilhado. Tão distante de nossa curiosidade como os asteroides minúsculos que o seu colega, imaginado por Saint-Exupéry, gostava de percorrer.

Todo o barulho da Terra não faria essa criança acordar.

Dorme há quinhentos anos. Desde o dia em que os pais o colocaram a uma altura de cinco mil metros, protegendo-lhe o sono com amuletos.

É um príncipe da nação dos incas, e maravilhoso acaso foi esse, de gente rústica, há trinta anos à procura de um tesouro, deparar com seu pequeno túmulo congelado.

O gelo conservara pois, por simples virtude, no alto de um pico chileno, uma criança nascida quando não existiam nem Pizarro, nem Chile, nem Brasil nem América.

Foi-se o glorioso império dos incas, com sua pompa, e nos deixaram apenas formas artísticas modeladas por arquitetos, escultores, joalheiros e tecelões, ou simples palavras, incorporadas às línguas em uso; o ser humano contemporâneo dessas formas e símbolos, este se despedira para sempre, e nos tristes quíchuas de hoje não era mais que o seu reflexo longínquo.

Mas o menininho, acocorado e dormindo o mesmo sono iniciado há cinco séculos, aí está agora a cativar-nos com seu mistério.

Envelhecemos depressa. O tempo de uma criança dormir – diz a fala proverbial. O tempo de maias e incas desaparecerem. De o império espanhol na América inaugurar-se e fazer-se em escombros. E o português também.

Ela ainda não acordou e já nascem e morrem Camões, Cervantes, Shakespeare, Racine, São Vicente de Paulo. E vêm os direitos do homem, e surgem teorias novas, novas guerras, novos abutres. E tanto sangue. Um banho de sangue.

Em seu sono infinito, o menino passou pelos homens e suas obras, por instituições, ideias, sonhos, vidas e mortes, sempre dormindo em postura humilde, cercado de ídolos, cachos de cabelos, dentes de leite. Nada mudou para ele. O mundo é talvez um sonhar acordado.

Uma vida tranquila, sem sobressaltos, sem obstáculos e em paz. Um principezinho inca e congelado. Um delírio da nossa inteligência.

Diria então o poeta: dorme, menininho, dorme.

* * *

MONJA

Nossa! Então a *Odisseia* é isso! A dificuldade de Ulisses voltar ao seu *locus*, ao seu lugar perfeito no Cosmos. Difícil. Obstáculos e mais obstáculos. A própria natureza impedindo a natureza de retornar ao seu estado de equilíbrio.

Dez anos, vinte anos.

No final do século 7, início do século 8, um monge declarou, depois de anos de prática no mesmo mosteiro: "Vinte anos comendo arroz e indo ao banheiro. Tudo que fiz foi criar um búfalo castrado que está sempre comigo".

Ele se tornou o búfalo, aquietado, tranquilo, presente, sem ganâncias, ansiedades, aflições. Passou por confusões, medos, ansiedades, frustrações. Mas ficou onde quis ficar. Praticou com ritmo e se entregou a uma vida simples.

Voltando a Ulisses, pelo visto ele aprontou na jornada de volta a casa.

Matou, feriu, brigou, lutou.

Criou um *karma* perverso. Lei natural. O pai do filho ferido quis e conseguiu se vingar.

Odisseia – dificuldades mil para atingir seus objetivos.

Minha vida tem sido uma odisseia – já ouviram alguém falar isso?

Como diz o professor, seja bem-vindo ao time!

Raramente é fácil.

O monge dizendo que por vinte anos comeu arroz não mencionou a sua odisseia pessoal, os demônios que precisou enfrentar, os medos, as confusões mentais, as dificuldades por que passou até poder estar presente no presente.

Como todos nós, era a vítima e o vitimador de sua própria natureza.

Conhecer a si exige coragem, determinação, resiliência. Preferimos viver enganados pelas aparências em um estado contínuo de insatisfação. Mas quando atravessamos os mares revoltos, com dificuldades mil, alguns de nós chegam ao porto, atingem a margem da tranquilidade e do bem-estar.

E veja que bonita a analogia com a nossa vida – muitas perturbações mentais, esquecimentos, confusão.

Não passamos por isso? Reconhecemo-nos em Ulisses, na *Odisseia*.

Sábio Homero!

O hábito da prática incessante pode fazer um monge, um atleta, um professor, uma pianista – seja o que for, um gari, uma operária. Todos os dias.

Sem que seja uma dor, um sacrifício, uma tortura. Mas é necessário certo esforço inicial para o movimento acontecer. E agradecemos aos que vieram antes e nos deixaram sua vida, suas falas inspiradoras, que nos fazem despertar.

Décimo terceiro dia

Pobreza

CLÓVIS

O sino de lá de longe badalou seis vezes. Por cá, aproveitemos a oportunidade para pensar sobre a vida. Conferir-lhe algum valor. Tudo no despertar. Mais um. Cheio de inspiração.

Estamos sempre falando dos gregos. Hoje vamos mudar. Mas nem tanto. Conservamos o jeito grego de pensar. Mas entregamos a palavra a um romano.

Chamava-se Sêneca. Foi homem de Estado. Teve enorme autoridade. Preceptor de Nero. Tipo, professor de todas as matérias. O que não é um troféu docente de se orgulhar. Pelo quase nada que sabemos do incendiário imperador.

* * *

O nosso despertar inspirado de hoje contempla conhecida afirmação. Para Sêneca, o pobre, pobre de pai e mãe, pobre de verdade, não é quem dispõe de poucos recursos. É quem quer ter mais, muito mais, do que tem.

Se estivesse no seu lugar estaria exultante. A frase é mesmo incrível. Contém um ensinamento que permite voar longe.

Primeiro, porque ela sugere que uma vida simples pode ser feliz. Bem, aqui vale a pena destacar. Quando dizemos "simples" é simples de verdade. Pra valer. Afinal, o ensinamento vale pra todos. E sempre houve gente no mundo vivendo em grande pobreza.

Esses tempos pandêmicos nos confinam a esquemas de vida mais simplórios, frugais, com poucos recursos, oportunidades de consumo e quase nenhuma sofisticação. E não são necessariamente nefastos por isso. Quase todo mundo baixou bem a bola no padrão de vida.

Mas não é a essa situação que eu me referia.

Penso numa única roupa. Um pedaço de pão. Um abrigo. E só. Ou num asilo com alimentação em ladainha, tipo macarrão no almoço e sopa de alguns mesmos legumes no jantar. Todos os dias. E roupa muito puída.

Penso também na prisão. Não no colarinho branco, que sempre descola um conforto. Mas na galera de quase todo mundo.

Para Sêneca não são pobres. Não necessariamente. Nem os mendigos. Nem os abandonados. Nem os presos.

Se regozijarem. Se encontrarem valor no mundo que lhes toca.

* * *

Você deve estar perplexo. Afinal, como assim? Como pode haver regozijo em semelhantes condições?

Sabe, você olha o mundo de dentro do seu. Com suas óbvias comodidades. Que tal, pelo menos nas cogitações da alma, desapegar um pouco. Olhar de fora.

Muitos são os exemplos que podem ajudar. O que me vem à mente, neste instante, é o *Conde de Monte Cristo*. Romance de Alexandre Dumas. Publicado lá pelo meio do século 19. Volumoso em páginas, grandioso em competência literária.

Edmond Dantès é o protagonista. Oficial trabalhador, honesto, talentoso e boa-pinta. Nas primeiras páginas, torna-se capitão do seu navio. E se casará com Mercedes. A catalã que arrebata todos os corações. Bem. Não deu outra. Acabou despertando a inveja de três desagradados com o seu sucesso.

Acusado frente às autoridades do que não fez, conspirar por Napoleão, Dantès é preso e passa catorze anos na prisão.

Você dirá:

– Não tem como a vida ser boa.

De fato, nosso herói chegou a pensar no suicídio.

Mas, na prisão, acaba conhecendo uma pessoa muito especial. O encontro da sua vida, como ele mesmo disse. Com um abade. O abade Faria. Erudito e cheio de sabedoria, oferece a Dantès uma educação do intelecto e do espírito. Uma formação libertadora.

Faria revela a seu pupilo o complô de que fora vítima. E lhe confidencia ser herdeiro de grande fortuna. Um tesouro enterrado na ilha de Monte Cristo. Ambos planejam a evasão. Mas o abade morre. Dantès foge só. E torna-se muito rico.

O resto você lê. A saga de uma vingança. Entrecortada de fantasias maravilhosas. Que só a literatura desse nível proporciona.

Mas foi na prisão que Edmond aprendeu a deixar de ser pobre. A saborear o mundo que ali lhe tocava. A degustar a sabedoria do abade. A regozijar-se da sua presença.

* * *

Voltemos a Sêneca.

O pobre é aquele que quer ter mais do que tem.

Em outras palavras. A pobreza não é questão de posses. E sim de desejos.

Enquanto pensamos no que falta, no que faz falta, talvez falte tempo para curtir o que já temos. O que já é nosso. E que é muito bacana ter.

Afinal, um dia você também desejou o que hoje possui.

* * *

Essa história de que o pobre é aquele que quer ter mais do que tem nos remete a um problema. Em sociedade aprendemos exatamente o contrário do que propõe o filósofo.

Somos ensinados a "ir atrás". E valorizar quem "vai atrás". Quem "é ambicioso". Quem "não se contenta com o que tem". Quem "vai pra frente". Quem quer "progredir na vida". Quem quer "melhorar de vida". Quem "tem planos". Quem "tem projetos".

Na mesma balada, quem se contenta com o que tem é "acomodado", "largado", "relaxado", "indolente", "preguiçoso", "sem ambição", "sem rumo na vida", "sem propósito de vida", "sem direção".

A definição de pobreza proposta por Sêneca vai rigorosamente no sentido contrário. Para o filósofo, o pobre de verdade desvaloriza o presente – e o gozo de como ele é – em nome de um eldorado no devir, no futuro, no amanhã.

* * *

Sêneca faz um convite à vida. Ao desfrute do mundo ao nosso alcance. Um convite à riqueza do real.

É uma denúncia. A pobreza do imaginário desejado, da insatisfação, da frustração. A pobreza da obsessão pelo que falta. E do desdém pelo que é.

Você poderá dizer:

Ah, mas mais um "tiquinho" que eu tiver, mais um pouquinho que eu conseguir, não vai fazer mal a ninguém. Aí, sim, eu terei o mínimo necessário para ser feliz.

Faça como quiser. Mas saiba. Ninguém para no tiquinho. Que o confirmem os donos de cassino. As casas de bingo. As bocas de fumo. Os centros comerciais. E todos os outros que enriquecem à custa da compulsão alheia.

Esse pouquinho a mais não bastará. E sua busca incessante e interminável o escravizará.

Por isso, só a plena satisfação com o que já é nosso nos fará ricos. Porque nos torna plenos, reconciliados com o mundo, satisfeitos com a vida e realizados.

E assim, o leitor poderá perguntar:

– Professor, o que o senhor pretende com esses despertares inspirados? Aonde pretende chegar com esse hábito de refletir sobre esses temas todos os dias às seis horas da manhã?.

Duas respostas que posso dar são:

1. A riqueza de Sêneca.

2. Despertar por despertar, inspirar por inspirar, pensar por pensar.

Que cada um desses segundos de compartilhamento seja tão pleno e satisfatório que dispense a busca de qualquer outra coisa que eu ainda não tenha.

* * *

Viajei demais nessa minha vida, muitas vezes de ônibus. Um deles, certa noite, repleto, não convidava a entrar; mas urgia o tempo, que, aliás, não existe, e daí, quase nunca o prazer se combina com a necessidade: animei-me, pois, a subir sabe Deus para que penosas macerações.

E foi então que tive esta extraordinária conversa com uma senhora muito bonita, não primaveril, mas ainda não invernosa, que se ofereceu para levar meu casaco – era de linho.

Dizia ela: recebi da minha avó falecida um presente que me deixou comovida. Era um corte de linho tecido por antigos amigos do Rio. Uma fazenda perfeita, que só não se parece linho irlandês porque é mais bonita. Tem aquele jeito pessoal e inconfundível que marca a vida do artesão.

Chegaram ao Brasil exaustos da guerra, fugindo dos nazistas, em busca de trabalho e paz. Intelectuais, a parte mais importante da bagagem que trouxeram eram os livros.

Pois chegaram esses viajantes de terras de além, fixaram-se numa casa modesta e puseram mãos ao trabalho. O que permitia o parco dinheiro era montar um tear, e montaram.

Tinha qualquer coisa de primitiva e bíblica aquela máquina que roncava – contava minha avó – no fundo do seu quintal.

Fizeram mais dois teares, um pouco mais sofisticados, e viveram plenamente de sua fabricação.

Não foram candidatos a Matarazzo, não pensaram em ser reis da entretela – queriam apenas viver, com decência e tranquilidade.

Trabalharam apenas para conseguir a vida que, por direito, cabe a todo ser humano – garantir a subsistência de cada dia, e usar o resto das horas lendo, estudando, tomando banho de rio ou de mar, brincando com os cachorros.

Dignidade e segurança foi só o que almejaram.

Juro que fiquei curioso para ver essa prenda. Herança da avó, símbolo dos grandes recursos que pode guardar a alma dos homens.

* * *

Aprenda a gostar do que é seu. Ainda que tenha que lutar contra o mundo inteiro. Que não sossegará enquanto não o puser de joelhos. Consumista e dependente.

Todos precisam que você vá atrás. Só assim enriquecerá mais o patrão. E o dono da loja.

Mas nada o impede de levantar a mão e dizer:

– Valeu, aí. Tô de boa, tô bem, tô bem comigo, tô felizão com o que já tenho. É incrível o lugar onde eu moro, a mesa onde eu como, a comida que estou degustando e, sobretudo, é incrível o que faço todos os dias. De segunda a domingo. Não careço de mais nada.

Eu já estou!

O despertar inspirado também vale por ele. É um tesouro. Faz você rico por alguns minutos a cada manhã. O resto é por sua conta. Mas lembre-se. Rica é a vida. E a vida é você e o seu mundo.

* * *

MONJA

Ao acordar, preciso aguardar um tanto, com certas tarefas matinais.

Essa espera me alegra também. Como a raposa do Pequeno Príncipe, ao saber que serei inspirada em alguns instantes, já me sinto bem.

Assim que posso, abro o celular, e a música que antecede já me acaricia os ouvidos.

Ouço.

O hábito matinal de seis badaladas – mesmo que eu as ouça depois.

E me sinto presente e satisfeita nesse momento.

Apenas ouvindo e refletindo. Verdade! "Que bonito e verdadeiro", penso.

Sêneca, agora, sim, eu conheço um pouco de você. Só sabia seu nome.

"Pobre é aquele que quer ter mais do que tem." Teria ensinado a Nero, imperador romano, que mais tarde incendiaria Roma.

Quiçá Nero não o houvesse entendido...

Buda disse coisas semelhantes, não sobre riqueza, mas sobre o contentamento.

Quem conhece o contentamento fica bem, mesmo dormindo no chão.

Quem desconhece o contentamento não encontra alegria, nem mesmo em um palácio espetacular, na cama mais macia e limpa do mundo.

Pobreza ou alegria de viver, contentamento com a existência. As pessoas sábias já nos alertavam sobre a importância de perceber como é bom estar contente com o que é, assim como é.

Neste momento, exatamente aqui e agora, digitando rapidamente algumas ideias que surgiram ao ler o texto do professor Clóvis, estou contente, satisfeita, plena.

Não preciso me exibir, demonstrar conhecimentos especiais. O que tenho me basta, mas me incita também a aprender mais. E o ato de ler, aprender, também me satisfaz. E satisfaz tanto que procuro ler mais e aprender mais. E cada momento de estudo é bom e pleno. Com pausas agradáveis e inspiradoras.

Se ao mesmo tempo sinto certa insuficiência por não haver me aprofundado nas origens da cultura greco-romana, posso satisfazer essa falta todas as manhãs aqui.

E, ao mesmo tempo, reconheço minhas escolhas e sinto-me plena por meio das práticas zen.

Alegro-me com este equipamento que estou utilizando para digitar. Não estou esperando ansiosamente o próximo modelo a ser lançado para correr a comprar.

No momento, no agora, este me basta e satisfaz.

Cada momento da vida é precioso e único, pois é onde estou.

Não posso estar lá ou acolá.

Não sei se será melhor amanhã ou à tarde, ou daqui a alguns minutos.

Sei que agora estou bem.

Que respiro, sinto a brisa matinal, ouço o som metálico da obra na casa vizinha.

Há poucos carros rodando nas ruas.

Os cães ladram.

Tudo em perfeita harmonia.

Então agradeço o despertar inspirado, que vem me inspirando há vários dias.

Viver de boa é apenas isto: apreciar cada instante assim como é.

Perfeito e completo.

Diferente do que foi e diferente do que será. Único.

Nichi nichi kore ko jitsu.

Dia, dia, é um bom dia – ditado zen japonês.

Meu mestre costumava dizer que *nichi ichi kore nichi*, ou seja, sem bom nem mau – cada dia é um dia. Apenas isso e nada mais.

Décimo quarto dia

Maledicência

Deus sabe o quanto detesto fazer intriga. Mas esse pessoal que chega atrasado, viu! Eu não me conformo. Sabem que é às seis da manhã que eu começo. São ociosos e preguiçosos. É por causa de gente assim que não vamos adiante.

Já estão todos aí? Agora que já são 6h03 podemos começar?

O meu pai sempre dizia:

– Não podendo falar bem de alguém, fique quieto.

Ao mesmo tempo eu passeava pelo mundo. O meu mundo triangular. Casa, casa da minha avó e a escola, seus três vértices. No seu interior eu só via gente falando mal de gente. Por toda parte. Era inevitável tomar o ensinamento paterno como descolado da realidade. A sua observância me excluiria de boa parte das interações sociais.

Uns trinta anos mais tarde, fui estudar filosofia. E, emocionado, encontrei Marco Aurélio, imperador de Roma. Marcus Aurelius, autor de *Meditações*. Na tradução francesa, *Pensées pour soi même* – pensamentos para si mesmo.

Note. A tradução não diz “Pensamentos para mim mesmo”. O que reduziria a obra a um diário íntimo. Só para ele. Mas pensamentos para si mesmo. Isto é, cada leitor fará dos ensinamentos o uso que o seu “si mesmo” bem lhe aprouver. Pensamentos para digestão íntima de cada qual.

A recomendação do imperador filósofo a que me refiro é esta:

– Procure dizer coisas boas dos outros, enalteça os outros, fale bem dos outros.

Fiquei muito feliz. Afinal, Marco Aurélio, grande pensador, estava dizendo coisas muito parecidas com o que meu pai sempre me ensinou.

Mas o que é preciso para dizermos coisas boas sobre os outros? Certamente, em seu entorno ou que chegue ao seu conhecimento, há muitas ações que merecem a sua benedicência.

* * *

Antes de mais nada, considerar as pessoas como outros. Aqui faço uma distinção. Em francês, há duas palavras para esse outro. “*Autre*” e “*autrui*”. Qual a diferença?

Antes da diferença, observo que qualquer outro será sempre um entendimento do homem sobre o mundo. Designa o que vê a partir de uma referência. Todo outro, para ser outro, precisa de uma referência.

Os franceses usam "*l'autre*" em duas situações.

Na primeira, para indicar qualquer coisa que não é a referência e integra um coletivo ou espécie a que pertence. Exemplo: a banana de referência e a outra banana. A fruta de referência e outra fruta. O carro de referência e o outro carro.

– Você vai vestir essa ou a outra calça?

– Você prefere esse professor ou o outro de terça-feira?

Na segunda situação, homens e mulheres chamam de "*autre*" para designar tudo no mundo que não é ele mesmo, com exceção de outros homens e mulheres.

Assim, as coisas, as plantas, os animais, os minerais e tudo mais que não for propriamente humano é "*autre*" para o homem. Ah. O celular também.

Usa-se "*l'autrui*" para designar qualquer outro homem e mulher tendo como referência "si mesmo". O uso é mais frequente para indicar um outro genérico. Qualquer um. Como na frase "não faça para o outro o que não quer que façam para você".

Em português temos a palavra "outrem". De uso super-restrito.

Pois bem. Para romper com a mesmice e conseguir falar bem de alguém, é preciso antes de mais nada considerar o outro como outro. Como "*autrui*". Que não é simplesmente um "*autre*".

Isso significa tomá-lo como um igual em direitos, prerrogativas, pretensões de felicidade. Sem que seja exatamente "si mesmo" ou idêntico física e espiritualmente.

* * *

Em segundo lugar, é preciso não considerá-lo como instrumento. Como um meio para alcançar o que deseja. Riqueza, notoriedade, prazer, sucesso etc.

Isso corresponde a tomá-lo por tão valioso quanto si mesmo.

Claro que você pode enaltecer as qualidades de alguém cuja vida apenas explora. Mas há nesse caso um implícito de superioridade que contamina o discurso.

Em terceiro lugar, é preciso saber identificar no outro seus verdadeiros valores, seus melhores atributos. Para isso, será preciso prestar-lhes atenção. Considerar genuinamente o que pensam e dizem. E também como agem.

Considerar o outro "*autrui*" permite diagnosticar várias coisas.

Talentos, por exemplo. Alguns socialmente aplaudidos. Outros, nem tanto. Há pessoas, muitas, que são boas, muito boas, naquilo que fazem. Para você que não para de falar em liderança, o "*autrui*" talentoso deve ser identificado de pronto.

Quem sabe você não se dá conta de que esse outro é mais excelente no que faz do que você em sua atividade?

Mas a observação desse outro não procura apenas o talento, a habilidade, o acima da média. Afinal, nada impede que o talentoso seja um canalha.

Considerar no outro sua excelência moral. Capacidade de "segurar a onda" dos próprios apetites. Respeito a princípios. Renúncia a vantagens indevidas. Honestidade. Fidelidade. Lealdade. Integridade. Generosidade. E, até mesmo, certa polidez.

Quem sabe você não se dá conta de que esse outro é moralmente mais virtuoso do que você?

Finalmente, identificar valores existenciais. Tudo que o outro "*autrui*" considera mais fundamental na hora de viver. Seus propósitos mais consistentes. O que está por trás de todas as suas decisões. O que entende por vida boa. Como experimenta vivê-la. O que faz para ser feliz.

Quem sabe você não se dá conta de que esse outro é muito melhor vivente humano do que você.

* * *

Pronto. Agora é só partir para o discurso.

É importante que as observações não fiquem somente no pensamento. Por meio do discurso, podemos comunicar a quem quer que seja as coisas que apreciamos nos outros. Isto é, aquilo que valorizamos.

E, dessa forma, nos apresentamos. Falamos sobre nós mesmos. Contamos quem somos. Usando como referência aquele que nos supera. Objeto de nossa admiração.

E tudo isso nos fará sentir bem. Essa é aposta do filósofo romano. Que nas horas vagas também brincava de imperador.

De fato. Se os outros à sua volta, com quem você interage, forem tão ruins, a vida será pobre. Não haverá com quem aprender. Tampouco enriquecimento. Você se sentirá isolado na sua excelência.

Comecemos já.

Quem poderia ter o talento jornalístico e de gestão cultural como Mário Vitor Santos?

Quem poderia entender tanto de ciência e tecnologia, com sensibilidade social e capacidade de gestão da coisa pública, como o secretário do governo de Goiás Adriano Rocha Lima?

Quem poderia ter tanta lucidez na hora de refletir sobre as questões do direito, as questões da justiça, com uma formação extraordinária na área, além da filosofia, que permite, com grande humanidade e sensibilidade, identificar o que é justo no mundo, como Júlio Pompeu?

Quem teria mais faro e senso de oportunidade para editar e publicar livros do que Marcial Conte Júnior?

Há tantas pessoas incríveis! Quem poderia escrever melhor do que Antônio Prata ou Fernanda Torres?

Quanta admiração!

* * *

Eu me sinto à vontade para procurar no mundo as coisas belas. Em meio a cada pôr do sol, o outro e suas riquezas. Só assim me locupleto. Plenitude de alma que só é possível pela consideração e reconhecimento embasbacado.

E se houver algum outro em cujo comportamento, maneira de ser, de pensar eu não consiga enxergar nada de positivo, a responsabilidade é toda minha. Porque ninguém é só torpeza, ninguém é só vilania, ninguém é só crueldade.

Ensimesmado em segundos de autocontemplação, terei me feito cego ante a luz de quem para mim tenta ser outro. Um "*autrui*" com quem, certamente, poderia me elevar. Incapaz de suportar alguma tristeza dos primeiros segundos, virei as costas, e fiquei mais pobre.

Mas que isso não chegue a ser remorso. Porque sei que nunca reduzi o amor e o interesse pelas pessoas ao limite do possível.

* * *

Uma vez, eu havia terminado uma palestra, e uma moça, dentre tantas que vieram pedir o autógrafo, chamou a minha atenção. Tinha o rosto pequeno, singelo, olhos fundos e redondos. Do sorriso assimétrico, emanava uma graça tristonha, antiga. Conversamos rapidamente, e eu soube, para meu espanto, que ela havia sido minha aluna anos antes.

Acabei me lembrando não apenas de sua bengala inconfundível que varava ágil o corredor da universidade, mas também de sua inseparável amiga, a loura Abigail. Passamos ao café.

Abigail havia morrido, e sobre a amiga ela disse:

– Abigail se movia como um mito. E vamos admitir que o mito se comprouvesse com sua legenda: que a mulher Abigail se despedisse de bom grado da vida comum, para se instalar na personagem fabulosa e metafísica que se cria com o tempo. E que certo automatismo psicológico pode mesmo conservar aparentemente ativo aquilo que já secara raízes no seu ser.

Mas, pesquisando bem, Bibi achava sempre, o que quer que fosse, de autêntico, de Bibiano.

De percepção inconfundível das coisas, guardo uma especial lembrança, a propósito do falecimento de seu avô. Os dois eram vizinhos, e da varanda do apartamento de um se via o edifício onde morava o outro. Quando certa manhã voltou do enterro do nono, seu movimento natural foi chegar à varanda:

– Olhei e vi que ele não estava mais.

Nunca tive impressão mais nítida do fluido que se evola do espaço imenso do que essa produzida pelas palavras de Abigail, recontadas pela amiga.

* * *

Considere sempre a possibilidade de procurar, com grandeza, o que há de lindo nos outros. Só assim, ao despertar, haverá algum motivo para procurar os chinelos, mais uma vez.

* * *

MONJA

Não falar dos erros e faltas alheios é o sexto preceito de Buda.

Regras de viver em harmonia, que Buda criou a partir da vida comunitária de monges e monjas, leigos e leigas. Todos no negativo. Não faça isso ou aquilo.

Agora gostei de ver o mesmo pensamento no afirmativo: falar bem, falar das boas qualidades, falar dos acertos dos outros.

Muito bom!

Gostei muito da meditação sobre Marco Aurélio, imperador romano.

Deve ter sido um bom imperador.

Sobre a meditação há duas possibilidades. A primeira é refletir logicamente, pensar, e depois sentar em silêncio e permitir que a mente absorva a reflexão. A segunda possibilidade é apenas sentar em silêncio, sem intenção alguma. Depois de alguns minutos, depois do torvelinho de pensamentos, estar apenas presente. Poderá surgir um pensamento, palavras corretas. Poderemos transformar a experiência meditativa em palavras.

Essas palavras poderão nos guiar e servir a outras pessoas como inspiração.

Falar bem das pessoas, ver seus pontos positivos, desenvolver o olhar apreciativo pode aumentar a nossa imunidade. Como diz o professor Clóvis, o que apreciamos nos outros demonstra o que somos, o que sentimos revela as nossas escolhas e preferências.

Lindo.

Vamos hoje fazer esse exercício de descobrimento dos pontos benéficos em cada pessoa que encontrarmos?

Deixe de lado as faltas e os erros – essa também uma instrução de Buda.

"Quando encontrar um professor, não se importe com as suas fraquezas e faltas, absorva o que tem de bom."

No Japão nos ensinam a não falar bem da pessoa na frente dela. É. Falar bem pelas costas, comentar com outras pessoas das qualidades de alguém.

Saber apreciar outras pessoas.

Um de meus professores principais, que tive no Japão, Yogo Suigan Roshi, recomendava: "Antes de falar, passe a língua três vezes por toda a boca. Na primeira passada, pense se o que você vai falar é verdadeiro; na segunda, se o que vai falar é benéfico; e na terceira, se irá beneficiar a quem ouvir. Se conseguir resposta afirmativa para essas três questões, então fale. Caso contrário, silencie".

Décimo quinto dia

Redenção

CLÓVIS

O mosteiro e seu sineiro nos acompanharam nesses quinze dias. Foram três semanas. Aproveito para me despedir. Costumo fazer isso. Dizer adeus antes do fim. Assim, acredito diluir um pouco a minha tristeza. Afinal, neste instante, ainda faltam alguns minutos. E quando não mais faltarem, já terei me despedido. Bobagem minha.

Pensei num jeito de tornar a integração ao todo cósmico – tão enaltecida pelos gregos – um pouco menos abstrata. Mais clara e compreensível.

E meu pai, de novo, me ajudou.

Eu morava com ele lá na rua Lauro Muller, bairro de Botafogo, no Rio de Janeiro. Atravessávamos o túnel para ir à praia. Entre Copacabana e Leme. Ficávamos bem ali na frente da avenida.

Um dia ele me ensinou a pegar jacaré.

Pegar jacaré é tudo de bom. Bom demais.

Ele me indicou a posição certa de esperar a onda. De tal modo que, quando ela viesse, bastariam algumas braçadas para parear em velocidade, e, então, ela me levaria, na sua velocidade, retirando-me provisoriamente do controle do próprio movimento, até a areia da praia. Maravilhoso.

Por ali eu ficava. E ela dizia adeus de costas, agradecida pela brincadeira. Voltava alegremente para o mar, fazendo barulho de espuma roçando na areia.

A onda nunca deixou de ser aquele mar, que nunca deixou de ser oceano. E cada coisa – integrada em cada coisa – simplesmente existe e deixa de existir, voltando a se diluir no todo.

Tal como eu, que deixei de ser eu para ser onda, enquanto a onda viveu como onda.

No jacaré, a integração perfeita. Um pedaço de Cosmos. Um fragmento do que sempre existiu. Um estilhaço de eternidade. Completamente dissolvido no todo do Universo.

* * *

O meu pai, o velho Clóvis de Barros, morreu de linfoma. Câncer nos vasos linfáticos. Doença terrível que o agrediu por mais de uma década.

Eu o visitava regularmente. Ele gostava muito. A cada vez. Certa feita, assim que me sentei ao seu lado, perguntei como estava. Ele respondeu com ênfase:

– Muito feliz.

Devo ter demonstrado algum estranhamento. Pela sinceridade aparente ante a condição que era a sua.

Ele acrescentou:

– Já sei! Você deve estar pensando como é que eu posso estar muito feliz a bordo desse linfoma tão devastador!

Sorri sem graça e sem dizer.

– Sabe o que que é, filho? Se para ser feliz eu precisar curar, já era. Não serei feliz nunca mais. Resta associar a felicidade ao linfoma. E com você aqui, perto de mim, essa é minha maior chance. Talvez a única. De ser feliz, com linfoma e tudo.

* * *

Era mesmo incrível o velho Clóvis de Barros. Li sobre coisas de sabedoria algumas mil vezes mais do que ele. E, em coisas de sabedoria, ele sempre foi algumas mil vezes mais elevado do que eu.

A frase que segue é de Epicteto. Não há mais como ler. Resta confiar na memória. Era mais ou menos assim.

– Doente, mas ainda assim feliz. Em perigo, mas ainda assim feliz. Na iminência da morte, mas ainda assim feliz. Depois vinha, em desgraça, mas ainda assim feliz. E no exílio, mas ainda assim feliz.

Clóvis de Barros. Um estoico de carteirinha.

* * *

Outra dele marcou a vida.

– Só desocupados e preocupados têm o péssimo hábito de antecipar desgraças. Por isso, ocupe-se. E viva a tristeza uma vez só.

Sim, ele tinha muita razão. Passamos muito da nossa vida com a mente atordoada pelo que supomos possa nos acontecer.

Pois essa sensação desagradável que decorre da antecipação das desgraças não é além do pavor, do medo, do terror.

Se a vida nos locupletasse no instante vivido, já sabemos, não haveria espaço para essas antecipações.

Como essa plenitude toda não acontece sempre, você acaba imaginando o pavoroso cenário de uma traição, o desgraçado flagrante de um adultério, a aterrorizante cena do cônjuge nu com outro ou outra.

Mas nem tudo é chifre nas relações humanas. Você também lamenta, por antecipação, não ser reconhecido, ser preterido por aduladores, não ascender na carreira.

E, no fim do domingo, já vislumbra as mazelas da segunda-feira.

No lugar de esperar a tristeza chegar, você teme. Vive o mundo entristecedor na mente e sente medo. Desgraça na mente, desgraça no corpo. Azedume existencial em dose dupla. No temor da vida imaginada, e na ocorrência dramática do mundo encontrado.

Se olhássemos de cima, bem de cima, veríamos o que não vemos cá embaixo. Que o acaso é só ignorância. Que instante a instante, milímetro a milímetro, tudo na existência parece inexorável.

E muita razão tem a moça apaixonada quando afirma – em frase de amor – que tudo "de até então vivido" o foi para aquele encontro. Reconciliação com dor pretérita. O amor que redime. Sim. Redenção. Isso mesmo. Afinal, se o passado não tivesse sido, o presente tampouco o seria.

De fato, lamentável e nefasto é antecipar desgraças. O pensamento é de Sêneca. Mas para mim – muito antes e melhor – foi ensinamento de meu pai.

* * *

Aqui me despeço de vocês com uma última história contada durante esta quarentena.

* * *

Ora, afinal, ela teve sua festa.

Já nasceu doente, e o pouco que conseguia viver foi sempre amarela. A face chupada, os olhos fundos, a perna magra e seca. Nem o batizado aproveitou, porque, sendo de nascença tão movidinha, a mãe teve medo que morresse pagã e pediu que a batizassem rápido. Não vestiu roupa bordada, nem teve mesa de doce. Foi tudo improvisado, e o padre com pressa, a bacia de louça da vizinha servindo de pia.

Tirando tudo que podia de suas forças, foi a menina atravessando o pouco tempo a que a vida a destinara. Enquanto os outros da sua idade já procuravam engatinhar e brincar, ela continuava a rolar pelo colchão. Talvez seu único prazer fosse mesmo ficar ao sol, deitada no manto ralo.

Enquanto a mãe lavava as roupas, ela punha os olhos numa ninhada de cachorros novos que davam cambalhotas à sua frente, como num pequeno circo armado só para diverti-la.

Nas horas de melhor humor, quando não dormia o seu sono de respiração curta e ansiada, fazia um gracejo: contava os dedinhos.

Cada dia que passara em sua vida foi assim: até que, numa madrugada, entendera que era hora de partir.

Parece que iria começar então o pedaço mais triste de sua curta passagem por este mundo, mas, ao contrário, foi o pedaço mais alegre.

Vestida de camisa de seda, penteados os cabelos em longos cachos, lábios avivados com batom, parecia uma debutante. Na vida desgastada da repetição, uma debutante significa apenas mais uma, assim como a imagem do seu caixão. Mas a sua imagem era a da esperança.

Um artista antigo costumava ligar aos amigos na alta madrugada. Dizia com fervor:

– Obrigado! Descobri que a vida é de graça!

Acho que ela entendera, afinal, que nada no mundo pode comprar este generoso sentimento do milagre que é simplesmente viver. E assim, quando seu enterro saiu, só a mãe chorava um pouco. Dentro do cemitério, o sol batia nos rotos mármores e na grama feia. Mas os passeios estavam varridos, num asseio de quintal pobre.

A simplicidade verdadeira terá sido o verdadeiro dote dessa moça, nesse curto milagre de sonhar e viver.

Dedico cada despertar inspirado ao meu pai, e às moças românticas, cujo amor já mergulhou na eternidade.

* * *

MONJA

Pegar jacaré.

Tornar-se um com a onda.

Morrer com ela que volta a ser outra onda.

Um momento de eternidade, de não eu.

Sem princípio nem fim.

Descrever *vidamorte* como ondas do mar.

Tudo é apenas água salgada.

Cada onda é criada a partir de várias causas e condições.

Ondas altas e ondas baixas – vêm da esquerda, vêm da direita.

Arrebenta e morre na praia ou nem arrebenta nem chega até a praia.

Assim cada uma de nossas *vidasmortes*.

Nunca a mesma, mas uma incita, provoca, contribui para a seguinte.

E, quando nós, poeira cósmica antiga, muito antiga, conseguimos fluir com a onda, quando nos tornamos a onda, nos tornamos o Todo manifesto.

É sutil, delicado, profundo esse encontro.

Possível – como pegar jacaré, surfar ou mergulhar e deixar de ser, sendo em plenitude o todo.

Ondas mentais Alpha. Estado de Samadhi, na yoga e no zen.

Estado de não diferenciação, de não separação.

É a bailarina se tornando a música, a dança.

É o jogador de futebol com a bola e o time, sendo esse time, sendo a bola.

É o artista se tornando a obra de arte.

E você? Já sentiu momentos assim de pleno pertencimento, sem distanciamento? Pode acontecer da maneira mais inesperada. Mas é preciso entregar-se, esquecer-se de si, tornar-se. Interser.

* * *

Certa feita uma jovem me procurou:

– Monja, estou sofrendo muito.

Por quê? – perguntei, preocupada com a jovem, o que teria acontecido? Seus olhos estavam marejados de lágrimas.

– Estou apaixonada.

Fiquei muito surpresa. Estar apaixonada costuma ser algo bom, que traz alegria, contentamento, e tornei a indagar por que esse amor a entristecia.

E ela me respondeu que sabia o que ia acontecer, que iriam viver um momento feliz e depois iriam brigar e se separar, como já acontecera várias vezes.

Ou seja, estava prevendo um fim desagradável de um romance que nem começara ainda.

Conversamos.

Não dê um fim trágico ao que está apenas começando.

Quem sabe possa ter aprendido dos relacionamentos anteriores o que deveria e não deveria fazer para que não termine em tristeza?

E, caso terminasse dessa maneira, por que não sentir agora a alegria do momento único do encontro e do amor?

Agora, durante a pandemia, muitas pessoas antecipam sofrimentos, perdas, desgraças, e ficam ansiosas, apavoradas.

Mas quem sabe? Tudo pode ser diferente do que imaginamos.

Quando houve a Revolução Industrial, muitos se amedrontaram – iriam ficar sem empregos, o mundo desmoronaria.

Sim, o mundo passado fechava as portas, mas outro mundo se abriu.

Nunca sabemos exatamente como será o amanhã, nem daqui a instantes.

Por que ficar só prevendo desgraças? Por que não apreciamos o agora?

Aves agourentas, dizia meu pai, quando apareceram pessoas no hospital para visitar meu então marido acidentado. Diziam que ele poderia ficar cego, paraplégico, incapaz.

E meu pai afugentava essas pessoas.

Ele ficou perfeitamente curado.

No agora há inúmeras possibilidades.

Não sofra por antecipação.

Como explica o professor Clóvis:

Nada é tão nefasto como antecipar desgraças – de Sêneca, fisósofo, senador, ministro de Nero, em Roma.

* * *

Byodô soku Sabetsu.

Sabetsu soku Byodo.

Em muitos templos zen-budista, essas duas frases são escritas em longas tábuas de madeira e são afixadas nas colunas na entrada da sala principal ou mesmo nas proximidades do altar principal – uma de cada lado.

Byodo é igualdade ou equidade.

Soku quer dizer exatamente.

Sabetsu é discriminação, diferenciação.

Igualdade é discriminação.

Discriminação é igualdade.

Discriminação no sentido de diferenciação.

Não há dois seres iguais. Pertencemos à mesma espécie, uma única família biológica – a humana. Entretanto, cada uma de nós é única. Cada pessoa humana tem características e necessidades únicas.

E prefiro não usar o substantivo homem para o plural de seres humanos. Um hábito criado a partir de um olhar masculino, que definiu essa opção para a língua portuguesa.

Não somos iguais. Temos valor equitativo. Somos diferentes, e, por haver a diferença, há a equidade, a igualdade.

A diferenciação é a equidade.

A equidade é a diferenciação.

Usa-se, em japonês, a palavra *sabetsu* – que quer dizer discriminação.

O uso dessa palavra no sentido de preconceito é desaprovado pelos defensores dos Direitos Humanos. Mas não podemos queimar os dizeres antigos, e é preciso entendê-los com clareza. Assim, é preciso diferenciar que discriminação significa a capacidade da mente humana de perceber as diferenças que existem – como entre os pés e as mãos.

A mente capaz de discriminar, diferenciar, não necessariamente inclui apego ou aversão.

Deixo para vocês pensarem.

Quem melhor pensar, melhor pensador será.

Entretanto, por melhor que saiba filosofar, não sobrevive sem comer e sem evacuar.

Quando duas flechas se encontram em pleno ar, será somente a técnica a responsável?

Um aluno excelente provoca a excelência no mestre; o mestre excelente provoca a excelência no aluno, e este se torna um discípulo.

Um bom flautista tira de qualquer flauta o melhor som.

CITADEL
Grupo Editorial

Livros para mudar o mundo. O seu mundo.

Para conhecer os nossos próximos lançamentos
e títulos disponíveis, acesse:

www.**citadel**.com.br

/**citadeleditora**

@**citadeleditora**

@**citadeleditora**

Citadel - Grupo Editorial

Para mais informações ou dúvidas sobre a obra,
entre em contato conosco pelo e-mail:

contato@**citadel**.com.br